★この作品《さくひん》はフィクションです。実在《じつざい》の人物《じんぶつ》・
団体《だんたい》・事件《じけん》などには、いっさい関係《かんけい》ありません。

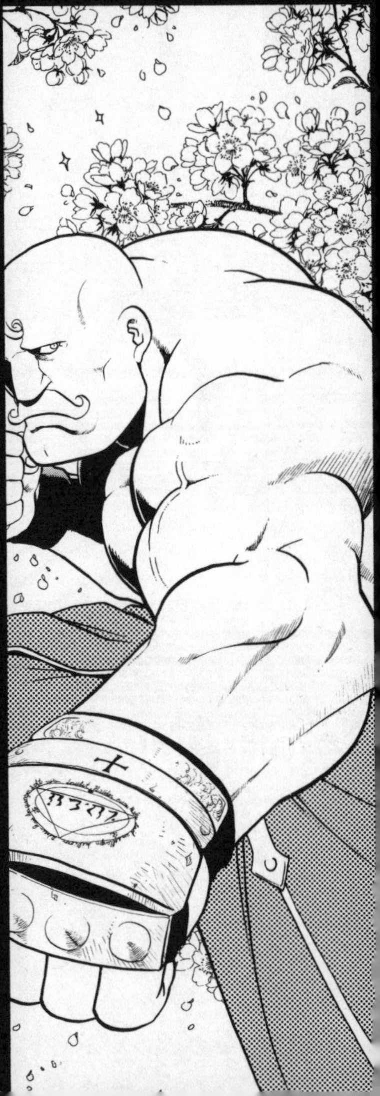

鋼の錬金術師

FULLMETAL ALCHEMIST

7

荒川弘《あらかわひろ》

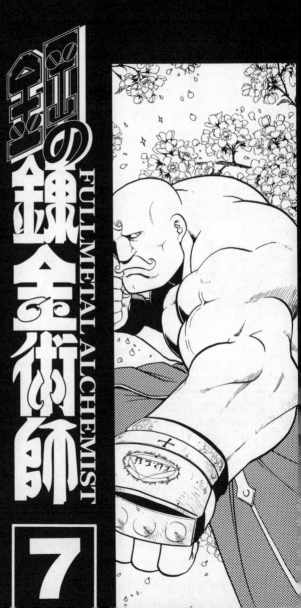

アルフォンス・エルリック

Alphonse Elric

エドワード・エルリック

Edward Elric

アレックス・ルイ・アームストロング

Alex Louis Armstrong

ロイ・マスタング

Roy Mustang

OUTLINE
FULLMETAL ALCHEMIST

エドワードとアルフォンスの兄弟《きょうだい》は、
幼《おさな》き日《ひ》に喪《うしな》った母《はは》を錬金術《れんきんじゅつ》により蘇《よみがえ》らせようと試《こころ》みる。
しかし、錬成《れんせい》は失敗《しっぱい》しエドワードは
左足《ひだりあし》と弟《おとうと》のアルフォンスを失《うしな》ってしまう。
なんとか自分《じぶん》の右腕《みぎうで》を代償《だいしょう》にアルフォンスの魂《たましい》を錬成《れんせい》し、
鎧《よろい》に定着《ていちゃく》させる事《こと》に成功《せいこう》するが
その代償《だいしょう》はあまりにも高《たか》すぎた。

鋼の錬金術師
FULLMETAL ALCHEMIST

CHARACTER
FULLMETAL ALCHEMIST

ウィンリィ・ロックベル

Winry Rockbell

イズミ・カーティス

Izumi Curtis

グラトニー

Gluttony

ラスト

Lust

グリード

Greed

エンヴィー

Envy

CONTENTS

いつもの薬《くすり》出《だ》しておくから
ありがとうございます先生《せんせい》
…先生《せんせい》記憶喪失《きおくそうしつ》を治《なお》す方法《ほうほう》をご存知《ぞんじ》ありませんか
さあね…
私《わたし》はそっちの専門《せんもん》じゃないからねぇ…
ほんの一部《いちぶ》の記憶《きおく》なんですけどね無《な》くしちゃった奴《やつ》がいまして
一般的《いっぱんてき》に言《い》われているのは催眠術《さいみんじゅつ》で記憶《きおく》をさかのぼるとか…
強《つよ》いショックを与《あた》えるとか
強《つよ》いショック…

とりあえず帰《かえ》ったら一発《いっぱつ》なぐってみよう……
どうも失礼《しつれい》します
ああ
イズミさん最近《さいきん》顔色《かおいろ》がいいんじゃないかい？
そうですか？
休養《きゅうよう》を十分《じゅうぶん》にとれているみたいだね
その逆《ぎゃく》ですよ
家族《かぞく》が増《ふ》えて毎日《まいにち》てんてこ舞《ま》い！

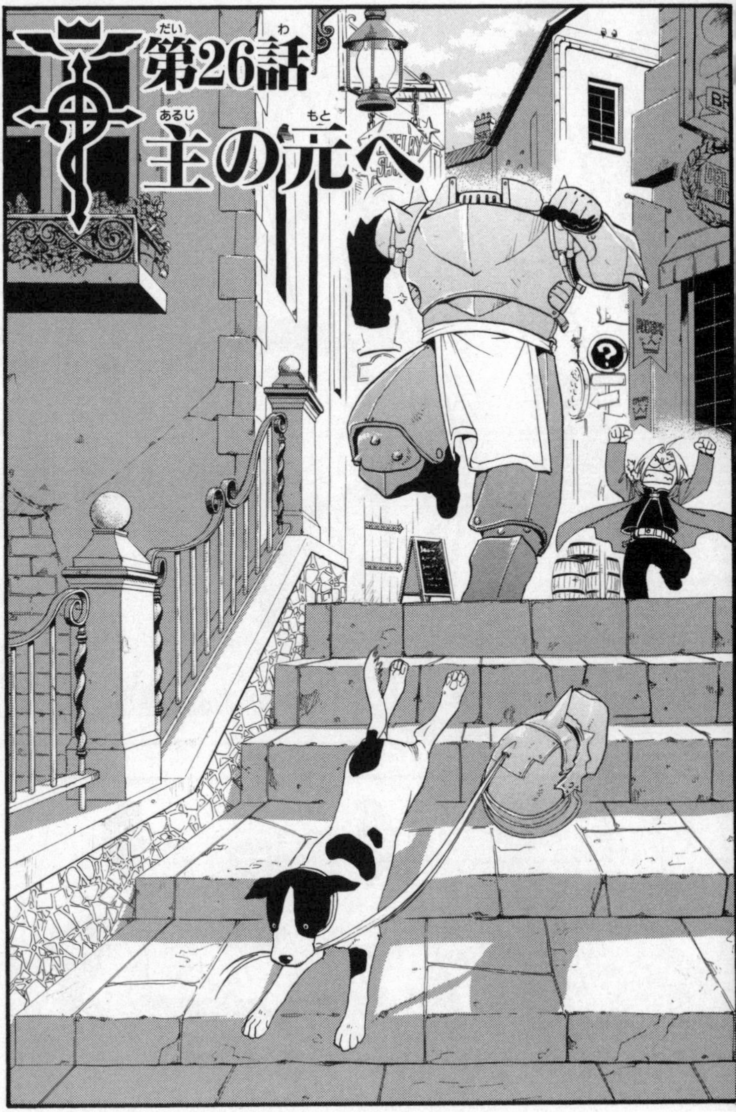
第《だい》26話《わ》
主《あるじ》の元《もと》へ

どうしたの
兄《にい》さん
ぎっくり腰？

……今年《ことし》の査定《さてい》忘《わす》れてた
あ!!!
査定《さてい》?
国家錬金術師《こっかれんきんじゅつし》の年《ねん》に一度《いちど》の査定《さてい》!
これをちゃんとやっとかないと資格《しかく》を取《と》り上《あ》げられちゃうんです
あ――最近《さいきん》バタバタしてたからなぁ
まじ――まじ――
よっしゃ!これを機会《きかい》に軍《ぐん》の狗《いぬ》なんてやめちゃえやめちゃえ!
どれ私《わたし》が軍《ぐん》に電話《でんわ》しといてやろう!
やめて――!!
とりあえず軍部《ぐんぶ》に顔出《かおだ》さなきゃ!
うん!
ちっ
はい来々軒

兄《にい》さん！中央《セントラル》より南方司令部《なんぽうしれいぶ》の方《ほう》が近《ちか》いよ！
下《くだ》りの列車《れっしゃ》で二駅《ふたえき》！
ばふっ
おう！サンキューアル！
レポートどうすんのさ
行《い》きの汽車《きしゃ》の中《なか》ででっち上《あ》げる！
気《き》をつけて行《い》っといで
はい！二《に》・三日《さんにち》で帰《かえ》って来《こ》れると思《おも》います
ばたばた
ばたばた
んじゃ
行《い》って来《き》ます！
ぬ゛お゛お゛お゛お゛お゛ぉ゛
でででで
ででででででで

あいつはいつもあんなにせわしないのか
そうなんです！
あんな兄《あに》だからやっぱり誰《だれ》か付《つ》いてった方《ほう》がいいですよねっ！
したっ
じゃっ!!ボクも行《い》って来《き》ます師匠《せんせい》!!
逃《に》げんな♡
おまえは残《のこ》って私《わたし》と組《く》み手《て》♡
ぎゃ

ガシャ
ガシャ
ぎっ
ざっ
ガシャ
あー!!
またかよ!!

まだ傷口《きずぐち》も ふさがってないのに 無茶《むちゃ》すんなよ!!
イシュヴァールの 武僧《ぶそう》は 常《つね》に修練《しゅうれん》を…
いいから 顔《かお》ふけ!
べしょ
客《きゃく》だよ
師《し》父《ふ》…!!

ご無事《ぶじ》で何《なに》より！
おまえもよく生《い》き延《の》びた
今《いま》までどこに？
南《みなみ》の山間部《さんかんぶ》に寺院《じいん》の者《もの》数名《すうめい》とな
東《ひがし》の大砂漠《だいさばく》に逃《に》げた僧《そう》もおるがはて生《い》き延《の》びておるかどうか…
南部《なんぶ》も近頃《ちかごろ》軍人《ぐんじん》どもの動《うご》きがあわただしくなってきてな
とばっちりを受《う》けぬうちに東《ひがし》に逃《に》げて来《き》たらおまえの話《はなし》を聞《き》いた
国家錬金術師《こっかれんきんじゅつし》を殺《ころ》して回《まわ》ってるそうだな

たしかに 我《われ》らの村《むら》を 焼《や》き滅《ほろ》ぼしたのは 国家錬金術師《こっかれんきんじゅつし》だ
恨《うら》みたい 気持《きも》ちは わかる
だが おまえの している事《こと》は 八《や》つ当《あ》たりに近《ちか》い 復讐《ふくしゅう》ではないか
復讐《ふくしゅう》は 新《あら》たな 復讐《ふくしゅう》の芽《め》を 育《そだ》てる
そんな 不毛《ふもう》な循環《じゅんかん》は 早々《そうそう》に 断《た》ち斬《き》らねば いかんのだ
堪《た》えねば ならんのだよ

ジャマするぜぇ〜〜〜〜〜
ザァ
本当《ほんとう》にいたぜ！
バッテン傷《きず》のイシュヴァール人《じん》だ！
大《おお》ケガして動《うご》けねぇ賞金首《しょうきんくび》がいるってなぁ！
親切《しんせつ》な人《ひと》が教《おし》えてくれてよォ！
ひゃひ
ひゃ
うひゃ
これで俺達《おれたち》や大金持《おおがねも》ちィ!!
なんだって⁉

この貧民街に
仲間《なかま》を売《う》るような
奴《やつ》はいない!!
誰《だれ》が……
びくっ!!
ヨキさんよ
情報《じょうほう》
ありがとな
約束通《やくそくどお》り
賞金《しょうきん》は
山分《やまわ》けだぜ
あんた!!
おちぶれて
行《い》くあての無《な》い
あんたを
ここの皆《みんな》はっ!
家族《かぞく》のように
受《う》け入《い》れて
くれたじゃ
ないか!!
敗北者《はいぼくしゃ》どもめ!!
私《わたし》はおまえ達《たち》とは
違《ちが》う!!
賞金《しょうきん》の
分《わ》け前《まえ》を元《もと》に
またのし上《あ》がって
やるのだアアアア!!
イヒアーーーッ!!

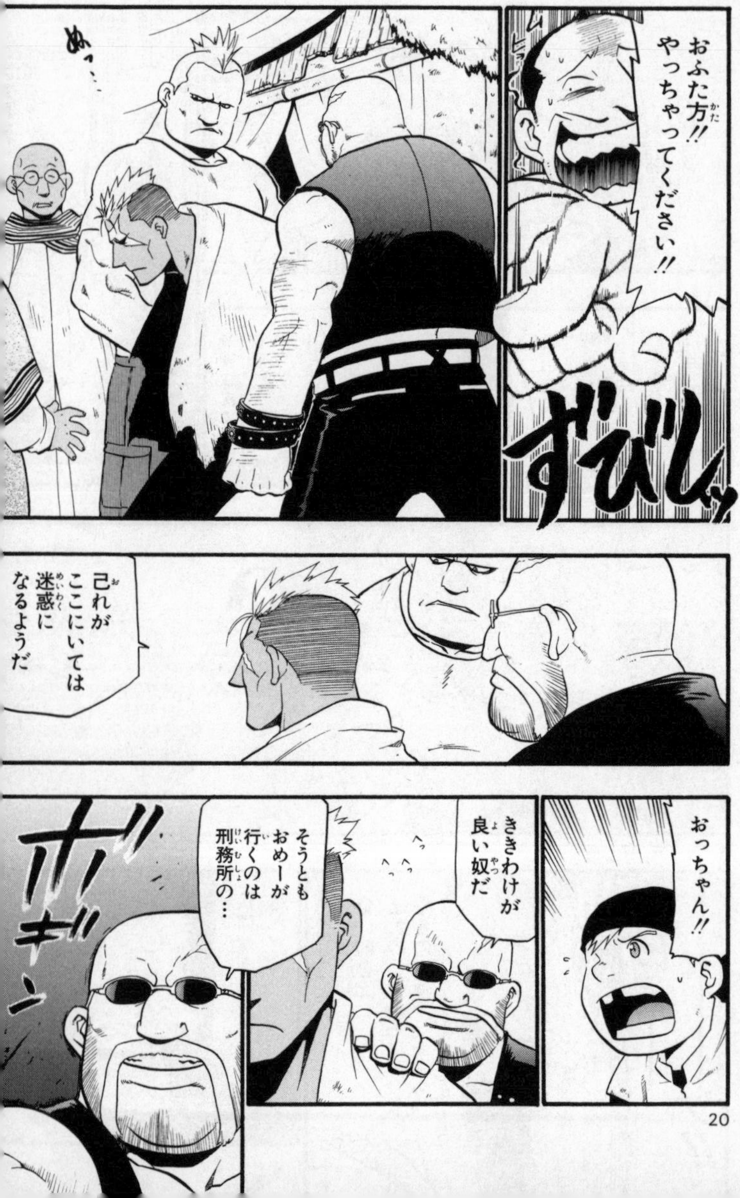
おふた方《かた》!!
やっちゃってください!!
ずびしっ
ぬっ…
己《お》れが ここにいては 迷惑《めいわく》に なるようだ
おっちゃん!!
ききわけが 良《よ》い奴《やつ》だ
へっ へっ へっ
そうとも おめーが 行《い》くのは 刑務所《けいむしょ》の…
ガギン

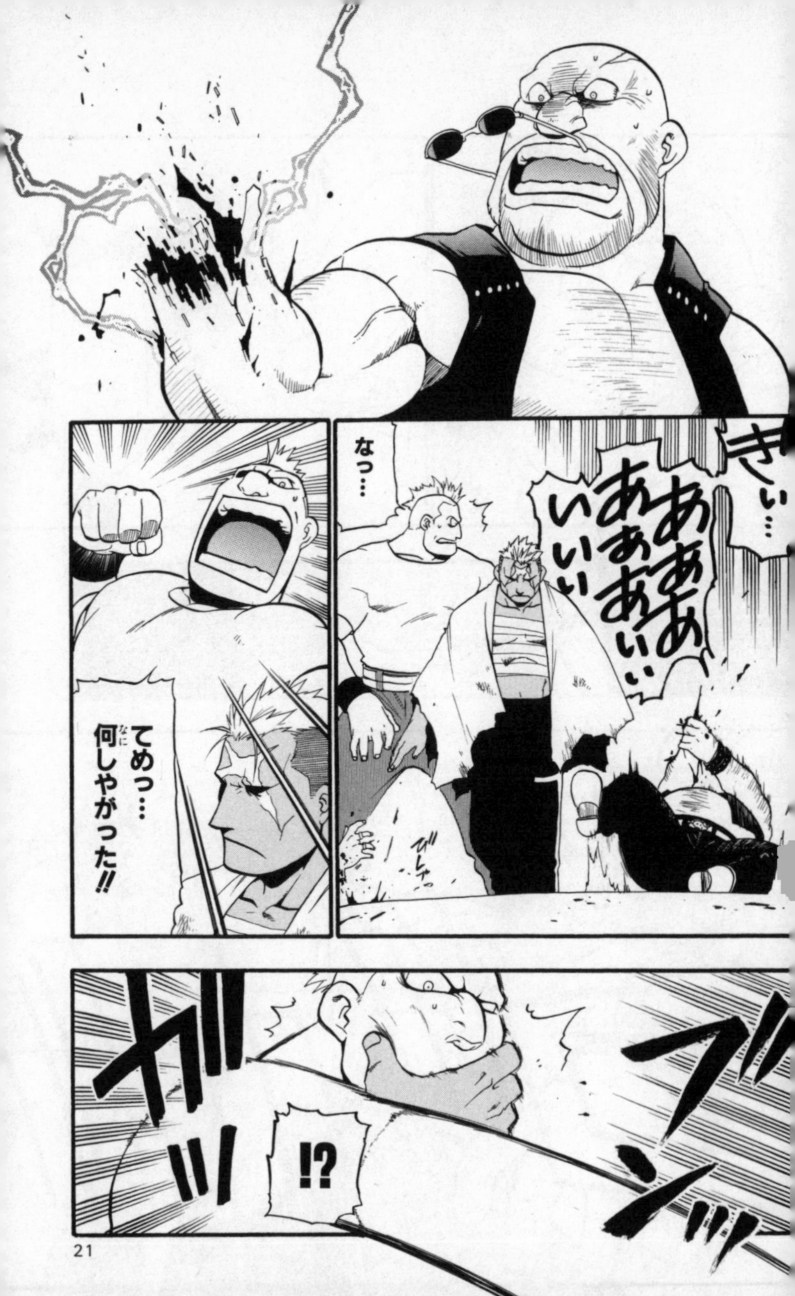
なっ…
きぃ…
あああ
あああい…
いいい
ぴしゃっ
てめっ…
何《なに》しやがった!!
ブンッ
!?
ガッ

みしっ
神《かみ》に祈《いの》る間《ま》をやろう
ぎ
何《なに》が神《かみ》だ!! んなもん…
ぎしぎっ

ドドッ
ギロ…
ひッ!!
あ…
待《ま》て!!
ザッ
ちょっと…
ザッ
来《く》るな
オイ!!
俺《おれ》が
悪《わる》かったっ!!
助《たす》けて
くれ!!
ザッ
俺《おれ》は
そっちの
チョビヒゲに
そそのかされて
……………
んなぁ!!?

ザ
いひイイイイイイイイイイ
メキャリ
行《い》くのか
ヒュ
オ
オ
オ
兄《あに》が悲《かな》しむぞ
オ
オ
オ
オ
オ
オ
オ

もう後戻《あともど》りは
できぬのです

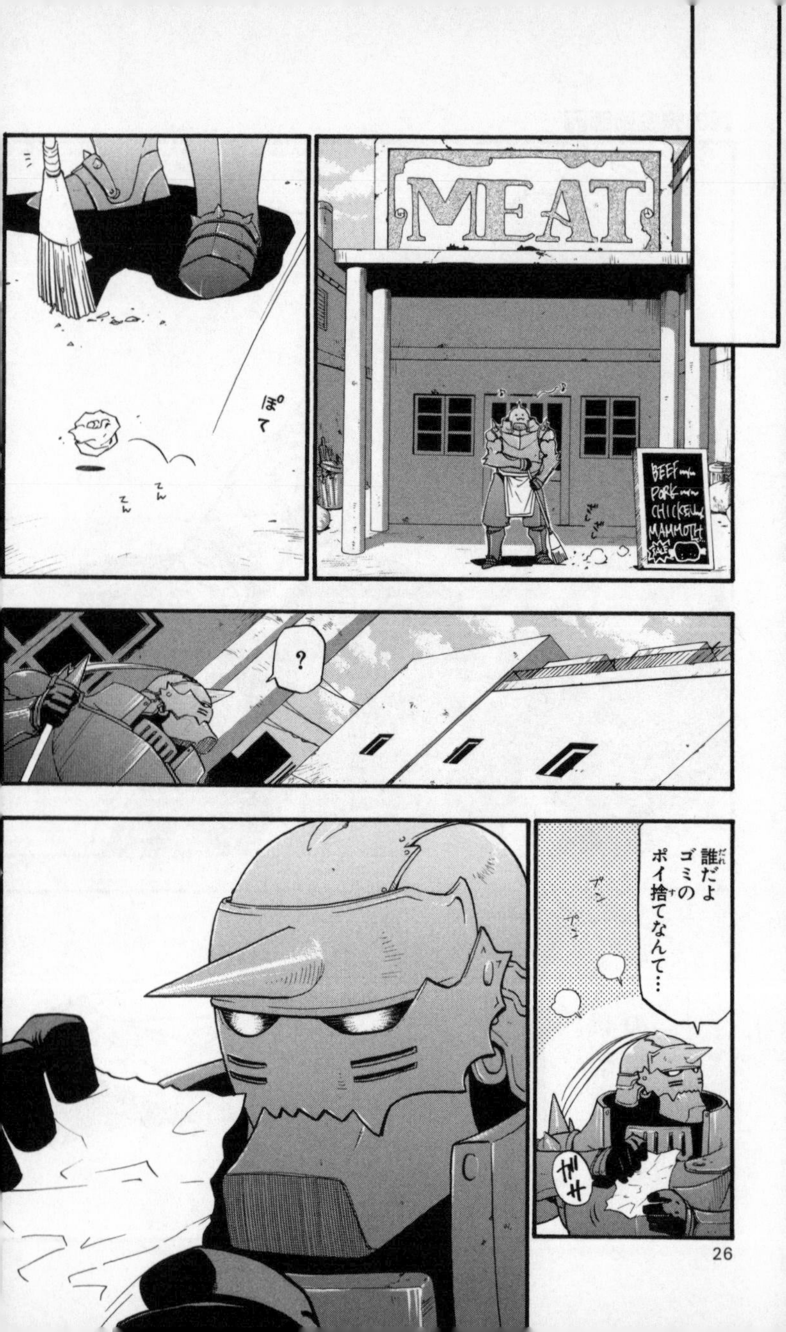
MEAT
BEEF
PORK
CHICKEN
MAMMOTH
SALE
ざし ざし
ぽて
てん てん
?
誰《だれ》だよ ゴミの ポイ捨《す》てなんて…
プン プン
ガサ

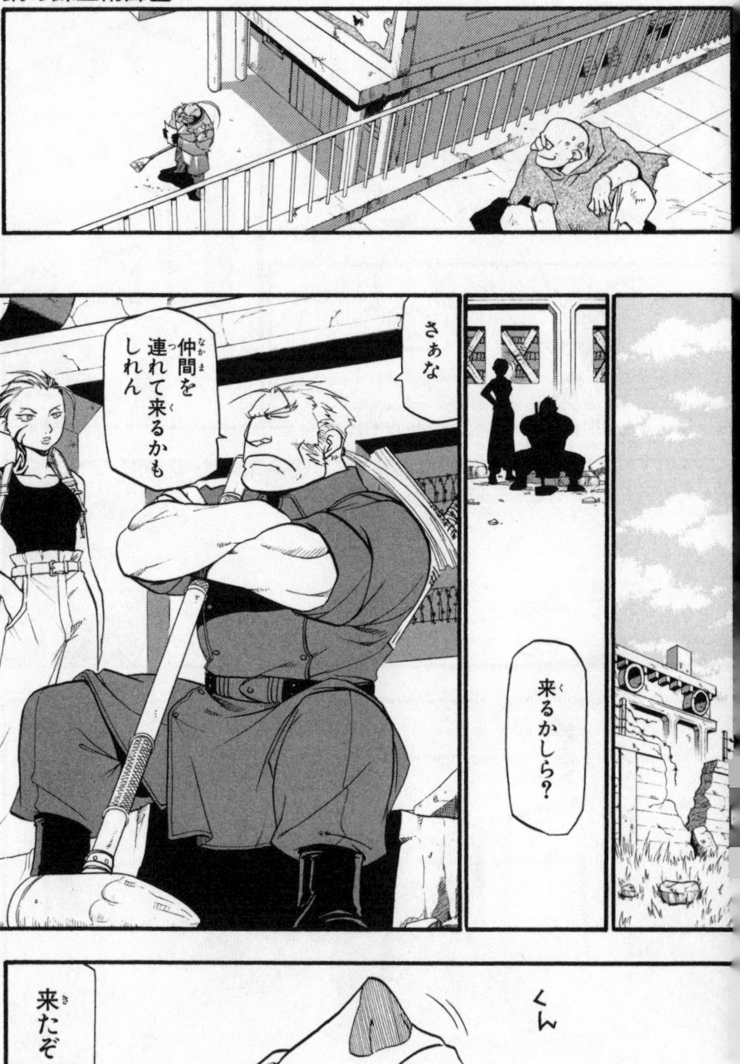
来《く》るかしら?
さぁな
仲間《なかま》を連《つ》れて来《く》るかもしれん
くん
来《き》たぞ

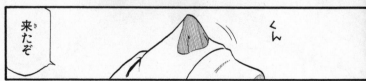

一人《ひとり》か?
度胸《どきょう》のある奴《やつ》だな
一人《ひとり》だ

ストッ
ザッ
待《ま》ってたぜ
客人《きゃくじん》
「おまえの秘密《ひみつ》を
知《し》っている」
「西《にし》の
工場跡地《こうじょうあとち》へ
来《こ》い」
おじさん達《たち》が
秘密《ひみつ》を
知《し》ってる人《ひと》？
おお
知《し》ってるぜ
色々《いろいろ》とな
ボクもね
ボクの秘密《ひみつ》を
知《し》りたいと
思《おも》ってるんだ

ならば 話《はなし》は 簡単《かんたん》だ
我々《われわれ》に 付《つ》いて来《こ》い
おまえの 知《し》りたい事《こと》が わかるかも しれんぞ
でも 知《し》らない人《ひと》に 付《つ》いていけないって 師匠《せんせい》に習《なら》ったよ
……
……おめーは いくつよ
14
14ったらもう 一人《ひとり》で考《かんが》えて 行動《こうどう》できる 年《とし》だろ?
ふん ふん
いいか おめーも いっぱしの男《おとこ》なら 自分《じぶん》の考《かんが》えで 動《うご》け!
「せんせいが」とか いつまでも 言《い》ってちゃ ダメだぞ!
そうか! 自分《じぶん》で 考《かんが》えなくちゃね!
そうとも! だから 俺達《おれたち》と 一緒《いっしょ》に来《こ》い!
なっ!

ガッ
ドサ
自分《じぶん》で考《かんが》えた結果《けっか》…

おじさん達《たち》をふんじばって秘密《ひみつ》とやらを訊《き》く事《こと》にしたよ
結局《けっきょく》は力《ちから》ずくか
ドォン

ダッ
来《く》るか…!!
だっと

……逃《に》げた
おお！
「おお」じゃないわ!! 追《お》うのよロア!!
おお
だだだだだだだ
つたく 手間《てま》かけさせる！
あせるな 地《ち》の利《り》は こちらにある

よそ者《もの》のあいつはこの建物《たてもの》の中《なか》を知《し》らん
じきに袋小路《ふくろこうじ》に入《はい》るだろう
それからゆっくり捕《つかま》えれば…
ひょーーい
捕《つかま》え……
ひょーい
ひょーーい
…………
どういう事《こと》よ!!
地《ち》の利《り》はこっちにあるんじゃなかったの!?
む……
なつかしいなぁ
修業時代《しゅぎょうじだい》によくここで兄《にい》さんと鬼《おに》ごっこしたっけ

……あの鎧《よろい》クン逃《に》げ回《まわ》ってばかりで攻撃《こうげき》してくる気配《けはい》も無《な》いわね
ドドドドド
なるほど魂《たましい》だけの身体《からだ》とは便利《べんり》なものだ
何《なに》？
奴《やつ》には肉体的《にくたいてき》疲労《ひろう》が無《な》い
！
我々《われわれ》を振《ふ》り回《まわ》し疲《つか》れさせてから仕留《しと》めようって寸法《すんぽう》か
いやなガキだ！
カン
カン
ドルチェット！

やっと起《お》きたか
うるせえ!
おいマーテル!いつまで鈍牛《どんぎゅう》のダンナに合《あ》わせて走《はし》ってんだ!
先《さき》に行《い》って足止《あしど》めするぞ!
ザッ
あいよ
さてと…
どうしようかな
落《お》とし穴《あな》でも作《つく》ろうか…
うーーん
兄《にい》さんみたいにパッと錬成《れんせい》できればいいのにな…
パッ

ドドッ
ギギャキン
パパッ

ゴッ
おわっ!!
ザザッ
峰《みね》打《う》ちじゃやっぱりビクともしねぇかよ!
ぶった斬《ざ》っちまいてェところだが命令《めいれい》だしな
ちッ
やり辛《づれ》ぇ相《あい》手《て》だまったく…
ス
スッ
間《ま》合《あ》い取《と》って遠距離《えんきょり》からちまちまやるしか…

手《て》え長《なげ》エ——!!

ビ
ンッ
ドッ
また頭《あたま》取《と》れちゃったよ!!
ドガガッ
ぐえっ!!
スタッ
おじゃまするわよ
ぐにゃ
あ

え？
あら
案外《あんがい》快適《かいてき》♡

うわわわわわわ!!
なっ…中《なか》!?
ちょっ…と
ぐわん
ぐわん
大人《おとな》しくしなさい!!
きもちわるい!!
感覚《かんかく》ないけどきもちわるい!!
バチン
出《だ》す!!
そうは…
ゴキ
ゴキ
グ
ニャ

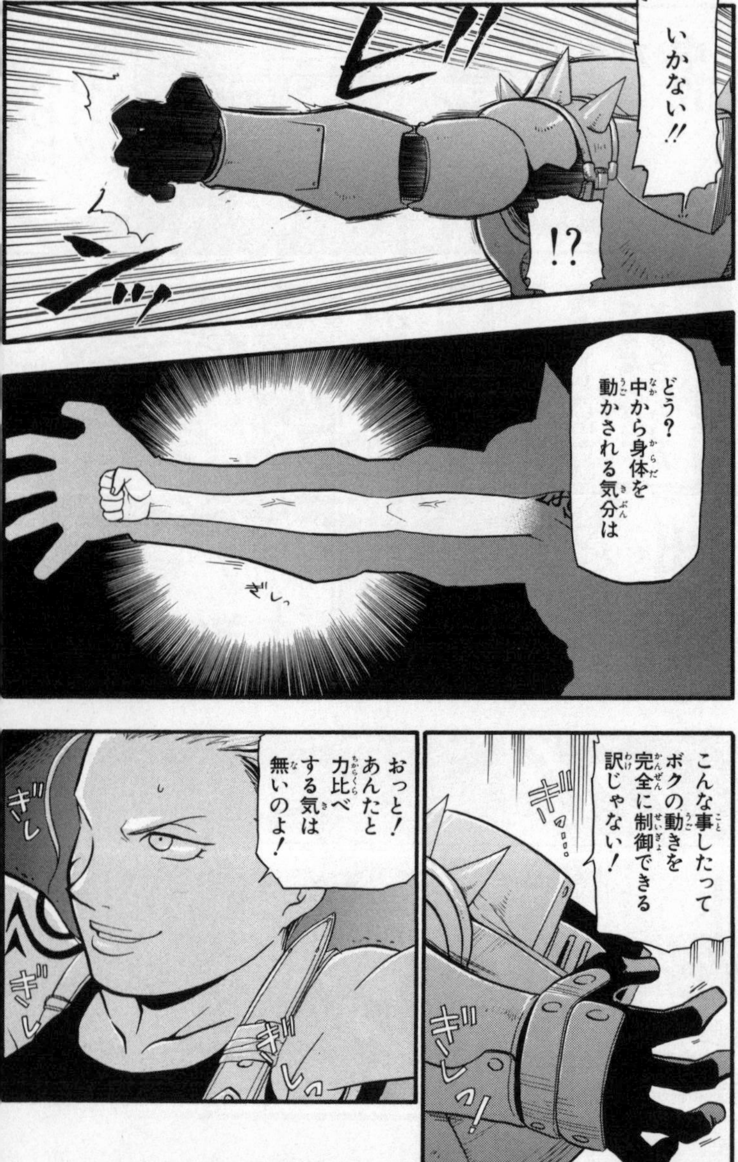
いかない!!
!?
どう?
中《なか》から身体《からだ》を
動《うご》かされる気分《きぶん》は
ぎしっ
こんな事《こと》したって
ボクの動《うご》きを
完全《かんぜん》に制御《せいぎょ》できる
訳《わけ》じゃない!
ぎしっ!
おっと!
あんたと
力比《ちからくら》べ
する気《き》は
無《な》いのよ!
ぎしっ

ただ少《すこ》〜し動《うご》きをにぶらせれば……
ドシン!
カタがつく!
…っ!!
ぎし
ぎし
ぎしっ
ガッ

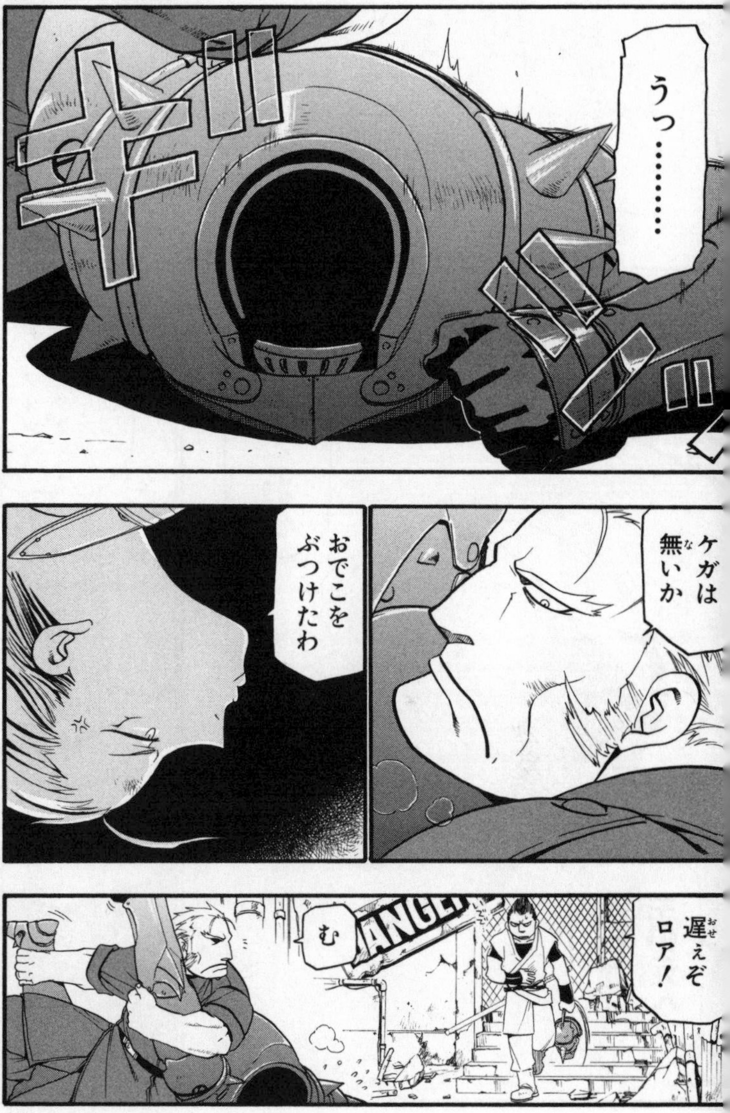
ギ
うっ………
ケガは無《な》いか
おでこをぶつけたわ
遅《おせ》えぞロア!
む

…のガキ
一発《いっぱつ》殴《なぐ》りたいところだがこっちの拳《こぶし》がイカれちまうからカンベンしといてやらァ！
アルフォンス・エルリックと言《い》ったか
来《き》てもらおう
我《われ》らが主《あるじ》の元《もと》へ

あれー？
アルフォンス君《くん》まだ帰《かえ》って来《き》てないんですか？
何《なに》やってんだろねあの子《こ》は！
ちょっと心配《しんぱい》ですよね
……………誘拐《ゆうかい》されてたりして
まっさか——
あははははははは
そうっスよね——

第《だい》27話《わ》

ダブリスの獣《けもの》たち

悪《わる》いわね
あたし監視役《かんしやく》だから
中《なか》に入《はい》られて気持《きも》ち悪《わる》いでしょうけどがまんしてちょうだい
いいよもう慣《な》れた
中《なか》にある血印《けついん》にはさわらないでね
ボクこの世《よ》にいられなくなっちゃうから
あんた面白《おもしろ》い身体《からだ》よね

おねえさんもただの人《ひと》じゃないよね
……合成獣《キメラ》って知《し》ってる?
あたしの身体《からだ》はね
ゴキ
ヘビと合成《ごうせい》されてるの
う…うそでしょ!? そんなの成功《せいこう》するはずない…!!
失礼《しつれい》ね! ここにこうして成功例《せいこうれい》がいるのに!
あたし元《もと》は軍人《ぐんじん》だったのよ
南部国境戦《なんぶこっきょうせん》で大《おお》ケガしてね
半分《はんぶん》死《し》にかけてたところを軍《ぐん》の研究機関《けんきゅうきかん》に運《はこ》ばれて実験体《じっけんたい》にされた
で この身体《からだ》を手《て》に入《い》れた

…ひどい!!
何《なに》が?
軍《ぐん》がそんな実験《じっけん》をしてたなんて…
それにそんな身体《からだ》にされて…!ひどすぎるよ!!
ふふ…
たしかに非人道的《ひじんどうてき》な実験《じっけん》よね
地雷《じらい》で身体半分《からだはんぶん》ふっ飛《と》ばされて気《き》がついたらヘビの身体《からだ》だもんね
ああ俺達《おれたち》の意思《いし》なんざおかまい無《な》しだ
クソ科学者《かがくしゃ》ども俺達《おれたち》を実験動物《じっけんどうぶつ》と同《おな》じ目《め》で見《み》てやがった
そうさ実験所《じっけんじょ》にゃたくさんの失敗作《しっぱいさく》がいたぜ

だがその中《なか》で
俺達《おれたち》は・・・
成功例《せいこうれい》として
生《い》き延《の》びた
生《せい》を
つかんだ
放《ほ》っときゃ
そのまま死《し》んでた
この身《み》だ
合成獣《キメラ》だろーが
なんだろーが
生《い》き残《のこ》った者《もん》の勝《か》ち…
上出来《じょうでき》の
人生《じんせい》だろ
そっちの
お兄《にい》さんは
なんと合成《ごうせい》
させられたの?
当《あ》てて
みな
見《み》てなさいよ
あいつ
片足《かたあし》上《あ》げて
小便《しょうべん》するわよ
しねェよ
バカ!!

犬《いぬ》……なの?
ああ
けっこう便利《べんり》だぜこの身体《からだ》
前向《まえむ》きなんだね
前向《まえむ》きすぎてよ
クソつまんねー実験所《じっけんじょ》を飛《と》び出《だ》して来《き》ちまった
ここはそんなちょいと訳《わけ》ありの表《おもて》の世界《せかい》じゃ生《い》きて行《い》けない奴《やつ》らばっかりさ

こいつが？
ええ
おー
すげえ！
本当《ほんとう》に
空《から》っぽだぜ
わっ
がぽん
よろしくな
ボウズ
ガキン
むっ
俺《おれ》は
グリードってんだ
仲良《なかよ》く
やろうや
あ……
ウロボロスの
入《い》れ墨《ずみ》……!!

ん？
これ知《し》ってるのか？
…中央《セントラル》でその印《しるし》を持《も》つあやしい人《ひと》に会《あ》った
ありゃ！中央《セントラル》の奴《やつ》らと接触済《せっしょくず》みかよ！
どいつだ？ラストのババァか？スロウスののろま野郎《やろう》か？
まぁ いいや
お兄《にい》さん達《たち》悪《わる》い人《ひと》？
お兄《にい》さんってぇ年《とし》じゃねぇ
いい人《ひと》でもねぇなぁ
さて アル…なんとかって言《い》ったか

魂《たましい》のみで死《し》ぬ事《こと》の無《な》い身体《からだ》ってのはどんな気分《きぶん》だ?
どうしてボクの事《こと》知《し》ってるのさ
がっはっは!! どうしてかって!?
おまえイーストシティで殺人鬼《さつじんき》と闘《たたか》った事《こと》があったろ
その時《とき》に憲兵《けんぺい》や一般人《いっぱんじん》に見《み》られてんだよおまえさんはよ
現場《げんば》の司令官《しれいかん》が※箝口令《かんこうれい》を敷《し》いたみたいだが
人《ひと》の口《くち》に戸《と》は立《た》てられねぇってな
裏《うら》の情報網《じょうほうもう》を流《なが》れて俺《おれ》の耳《みみ》に入《はい》った訳《わけ》よ

※他人《たにん》に話《はな》す事《こと》を禁《きん》ずる命令《めいれい》

それで ボクを連《つ》れて来《き》て どうするつもり？
個人《こじん》の 魂《たましい》だけを 錬成《れんせい》し 他《ほか》の物《もの》に 定着《ていちゃく》させる……
やりようによっては 永遠《えいえん》の命《いのち》を 手《て》に入《い》れられるんじゃ ねぇか？
なぁ？
俺《おれ》は 強欲《ごうよく》 だからよ
金《かね》も欲《ほ》しい！ 女《おんな》も欲《ほ》しい！
地位《ちい》も！
名誉《めいよ》も!!
この世《よ》の全《すべ》てが 欲《ほ》しい!!!

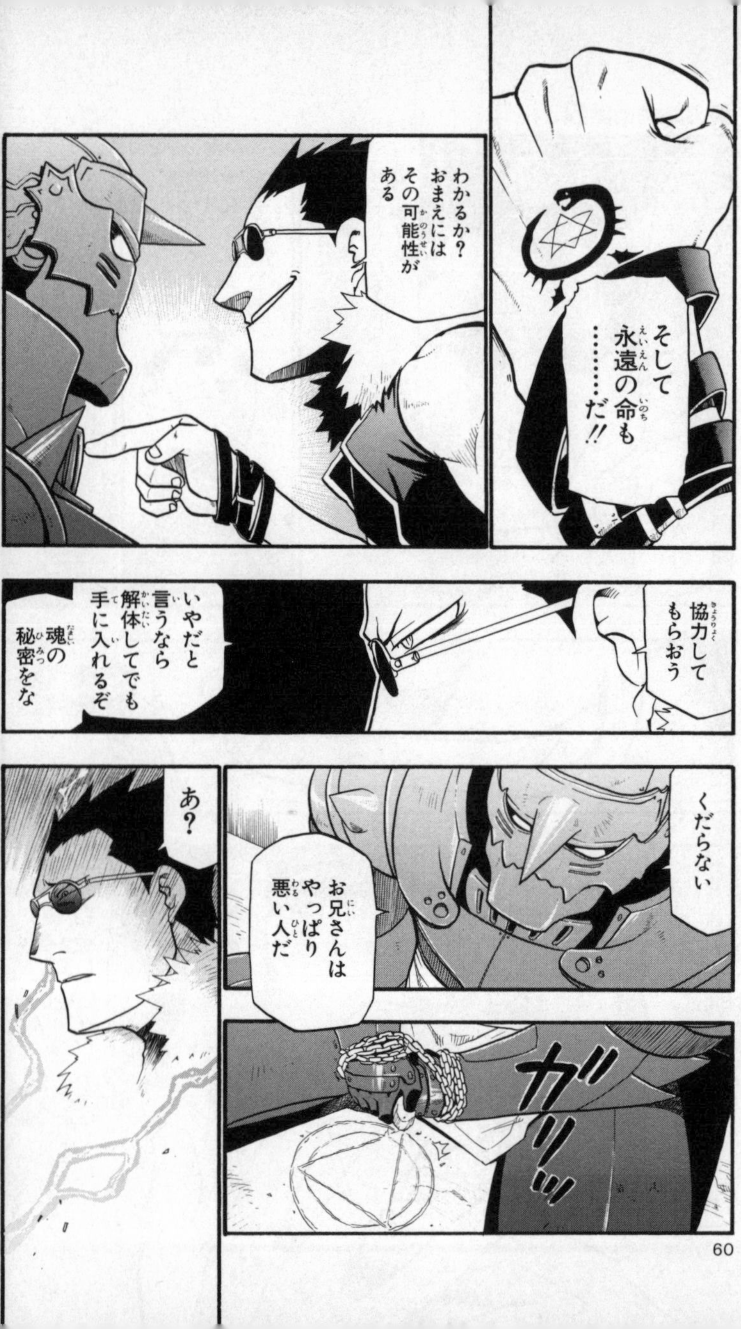
そして永遠《えいえん》の命《いのち》も……だ!!
わかるか? おまえにはその可能性《かのうせい》がある
協力《きょうりょく》してもらおう
いやだと言《い》うなら解体《かいたい》してでも手《て》に入《い》れるぞ
魂《たましい》の秘密《ひみつ》をな
くだらない
お兄《にい》さんはやっぱり悪《わる》い人《ひと》だ
あ?
ガッッ

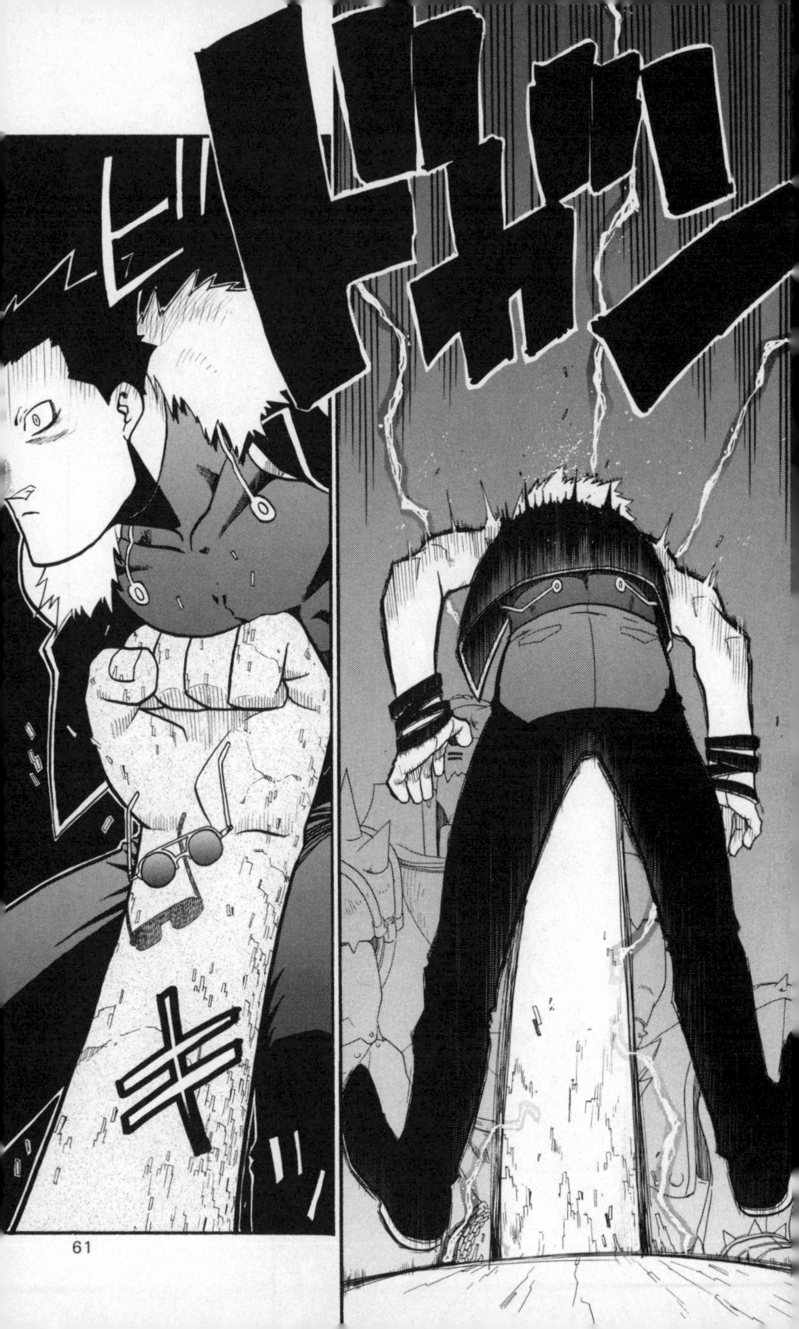

油断《ゆだん》したね！
ザリ
こんな鎖《くさり》くらい錬金術《れんきんじゅつ》で……
ザリッ
…どうするって？
ガッ
!?

ぎり
ぎり ぎり
まぁ 落《お》ち着《つ》け な?
――っと 悪《わる》いな マーテル
おまえが 中《なか》に入《はい》ってんの 忘《わす》れてた
ぐゎん ぐゎん
がっはっは!! 思《おも》い切《き》りが 良《い》い奴《やつ》は 好《す》きだ!
おまえ 見所《みどころ》が あるぞ!
だが これじゃあ 全《ぜん》っ然《ぜん》 ダメだ
俺《おれ》を 倒《たお》したきゃ これくらい やらねぇと

ドボォッ
ズシャアッ

え？
びくん
ちょっ…
なんて事《こと》するんだ!!
仲間《なかま》で……

…しょ
パオ
パキ
ピキ
パキ
ベキ
ベキ
ベキ
ベキン

あ…
ぺ
グキグキ
あー
あー
ゴキン
これで一回死亡《いっかいしぼう》だ
おい もうちっときれいにやれねぇのか
グキゴキ
はっ…申《もう》し訳《わけ》ありません
――と こんな具合《ぐあい》なんでな
ちん
ハンパじゃダメだぜ
不死身《ふじみ》…？
いや まさか そんな…!!
そう
こんな身体《からだ》だが不死身《ふじみ》って訳《わけ》じゃないんだな

人造人間《ホムンクルス》って知《し》ってるだろ?
人工的《じんこうてき》に造《つく》り出《だ》された人間《にんげん》
人《ひと》ならざる人《ひと》
今《いま》 おまえの目《め》の前《まえ》にいるのがそれだ
ちょいと丈夫《じょうぶ》に造《つく》られちまったんでな
こんなナリでももう二《に》百年《ひゃくねん》近《ちか》く生《い》きてる

ありえない!! 人造人間《ホムンクルス》が成功《せいこう》したなんて話《はなし》聞《き》いた事《こと》が無《な》い!!
がっはっは!!
世《よ》の中《なか》にはな 陽《ひ》の当《あ》たらない 裏《うら》の世界《せかい》がある
ぬくぬくと生《い》きてる表《おもて》の世界《せかい》の人間《にんげん》にゃ想像《そうぞう》もつかねぇ事《こと》が陰《かげ》の世界《せかい》じゃまかり通《とお》ってんだよ
こいつら合成獣人間《キメラにんげん》も表《おもて》の世界《せかい》に知《し》られてねぇだけでここにこうして確《たし》かに存在《そんざい》する
「ありえない」なんて事《こと》はありえない
おまえの存在《そんざい》がそれを証明《しょうめい》してるだろ?
魂《たましい》だけの存在《そんざい》のおまえがよ

俺《おれ》の秘密《ひみつ》は教《おし》えたぜ
さぁ おまえの秘密《ひみつ》を 魂《たましい》の成《な》り立《た》ちを
喋《しゃべ》った方《ほう》がいいわよ
バラされて実験動物《じっけんどうぶつ》と同《おな》じ扱《あつか》い受《う》けたくないでしょ
…無理《むり》だよ
ボクにはこの身体《からだ》になった時《とき》の記憶《きおく》が無《な》いし…
錬成《れんせい》してくれたのは他《ほか》の人《ひと》でボクは何《なに》ひとつ知《し》らないんだ
じゃあその錬成《れんせい》してくれた奴《やつ》だ
そいつに訊《き》けばいい

ボクの兄《にい》さん
だけど……
今《いま》は……………
……いない
俺《おれ》悪《わる》い事《こと》
訊《き》いちゃった？
ひそ ひそ
そりゃ
ナリはあれでも
14歳《さい》の少年《しょうねん》
ですから…
ナイーブな所《ところ》が
あるかと
ひそ ひそ
あーあ
あー……
ご愁傷様《しゅうしょうさま》っつーか
なんつーか
なぁ
元気《げんき》出《だ》せ
なっ
なんか勝手《かって》に
死《し》んだ事《こと》に
されちゃってるよ
兄《にい》さん
ぶえっくし!!

あら
風邪《かぜ》？
ぐしゅ
かなぁ？
まいったな…
はい
これ持《も》って
技術研究局《ぎじゅつけんきゅうきょく》に
行《い》ってくださいね
ども
査定有効期間《さていゆうこうきかん》
過《す》ぎてるから
手続《てつづ》きが
大変《たいへん》ですよ
うぇ〜〜〜
南方司令部《なんぽうしれいぶ》って
初《はじ》めて入《はい》るな
子供がいる
迷《まよ》いそうだ
すんませーん
技術研究局《ぎじゅつけんきゅうきょく》って
どこ……

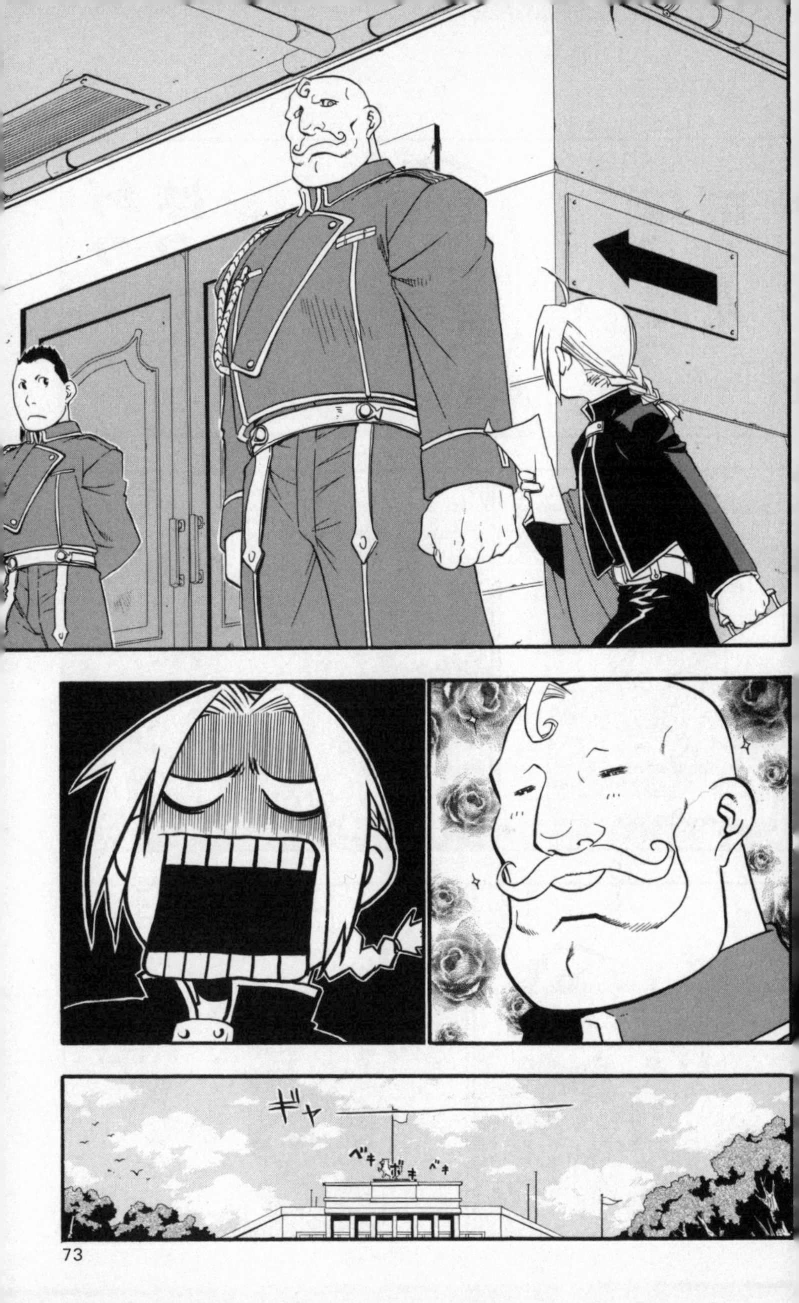
ギャ
ベキ
ボキ
ベキ

わっはっはっはっ
はっはっはっ!!
元気《げんき》そうで何《なに》より！
はぁ…
大総統《だいそうとう》の南部戦線視察《なんぶせんせんしさつ》に我輩《わがはい》が護衛《ごえい》を務《つと》める事《こと》になってな！
えへん
タイミング悪《わる》う……
査定《さてい》に来《き》ておったそうだが
うん
有効期間《ゆうこうきかん》が過《す》ぎてるから手続《てつづ》きに時間《じかん》がかかるってさ
査定《さてい》か
どれ書類《しょるい》をかしたまえ

印《いん》を
はっ
合格《ごうかく》！
ばんっ
これにて査定終了《さていしゅうりょう》！
よかったなエドワード・エルリック！
はい
……なんつーいいかげんな…
君《きみ》の各地《かくち》での活躍《かつやく》を見《み》るかぎり問題《もんだい》は無《な》い
これからも期待《きたい》しているよ鋼《はがね》の錬金術《れんきんじゅつ》師《し》君《くん》
南部《ここ》でもまた一騒動《ひとそうどう》起《お》こしに来《き》てたのかね？
ははは
いえ錬金術《れんきんじゅつ》の師匠《ししょう》がダブリスにいるんで会《あ》いに来《き》たんです
ほお
君《きみ》の師匠《ししょう》となるとかなりの者《もの》ではないのかね
そりゃもう（色々《いろいろ》と）すごいですよ

国家錬金術師《こっかれんきんじゅつし》に勧誘《かんゆう》しに行《い》ってみようか
いやーやめた方《ほう》がいいですよ
行《い》くなら一個師団全滅《いっこしだんぜんめつ》するくらいの覚悟《かくご》じゃないとね
ぼそ
？
イズミさんわかりましたよ
MEAT
きのう昼間《ひるま》に西《にし》の工場跡地《こうじょうあとち》にアルフォンス君《くん》が入《はい》って行《い》くのを見《み》た人《ひと》がいます
その後《あと》は？

デビルズネストって
酒場《さかば》に
出入《でい》りしてる奴《やつ》らが
でかい鎧《よろい》を
地下《ちか》に運《はこ》んでた
らしいですよ
デビルズネスト
ね………
ちょっと
あいさつに
行《い》こうか
DEVIL'S NEST
BAR
ザッ

あんた
うちの店《みせ》の事《こと》
嗅《か》ぎまわってるって？
いけねぇな
一般人《いっぱんじん》が
余計《よけい》な事《こと》に
首《くび》つっこんじゃ
いいわぁ
あんたら
わかり
易《やす》くて
わかったら
とっとと
帰《かえ》んな…
ズッ
責任者《せきにんしゃ》
どこ？
待《ま》たんか
コラァ!!
シカト
こいてんじゃ
ねえ!!
ド
ドン!

ぬが……
チャキーン
やるじゃねぇか この… おばはん！
ブチ
べちっ
パン
ズリ
あんたら 三下《さんした》じゃ 話《はなし》にならないって 言《い》ってんの

て・・・
手品師《てじなし》!?
バカ!!
錬金術師《れんきんじゅつし》だ!!
おい
飛《と》び道具《どうぐ》
持《も》って来《こ》い!!
ンだぁー
おめーら
DEVIL'S NEST
ぬっ
ヌオオオオ
ネズミ一匹《いっぴき》
まだ始末《しまつ》
できねえのかよ
ウルチさん!!
んん〜〜〜?
女《おんな》!!
女《おんな》だ!!
女《おんな》
大好《だいす》き!!
はは
わはは
はは
そこまでだ
女《おんな》ァ!!
ウルチさんは
そこらの奴《やつ》とは
ちょっと
ちがうぜ!!

なんたって ワニの血《ち》が 入《はい》っちゃってる からなぁ!!
ガチン
ガチン
ガチ
野獣《やじゅう》だぜ 野獣《やじゅう》!!
おねェさんよ…
ちら♡
ここいらは 俺《おれ》みたいな 物騒《ぶっそう》なのが 多《おお》いからよう…
痛《いた》い目《め》に あっても 知《し》らないよー♡
ドゴ
痛《いた》い!!

ぐるるるるるる
あら
あんた
来《き》てたの
俺《おれ》の女《おんな》に色目《いろめ》
つかってんじゃねぇ
この野郎《やろう》!!
どかっ
ばくげし
ごしゃ
やだあんた
そんな大《おお》きな声《こえ》で
俺《おれ》の女《おんな》だなんて♡
野獣《やじゅう》!!!
で?
誰《だれ》に訊《き》けば
教《おし》えて
くれるの?
ぶらーん
なななな
ナメんなー!!
こちとら
口《くち》が硬《かた》いので
有名《ゆうめい》でい!!
やっちまえ
――!!
うにゃ

さて…
ボゴ
ロ
ロッ
鎧《よろい》の子《こ》をどこにやった!?
ちゃっちゃと吐《は》かないと…
へ! 吐《は》かないとどうなるって…
ん?
吐《は》くわよ
ごぱー
ぎゃあああああ
おぅえ゛がば
ごぼげーへっ
いいか? 心《こころ》を落《お》ち着《つ》かせて

そのまま…
そう
この火《ひ》をじーっと見《み》つめて
10歳《さい》のあの日《ひ》
ゆらゆら
君《きみ》の魂《たましい》が錬成《れんせい》された日《ひ》にもどる…もどる…
ぜんぜんダメ
だはーーー
催眠術《さいみんじゅつ》でも記憶《きおく》をさかのぼれないか
すみませんこういうタイプの奴《やつ》は初《はじ》めてなんで
面倒《めんどう》くせぇな
解体《かいたい》してオレに解析《かいせき》させてくれよ
錬金術《れんきんじゅつ》なら少《すこ》しやった事《こと》がある

むっ…
やるなら国家《こっか》錬金術師《れんきんじゅつし》クラスの人《ひと》を連《つ》れて来《き》てもらわないと
少《すこ》しかじった程度《ていど》の人《ひと》にいじくられるなんてたまったもんじゃないよ
おーーー
言《い》う言《い》う
ふん…
ず太《ぶと》い神経《しんけい》してるガキだ
おめーみたいな奴《やつ》は好《す》きだぜ
だが!!
カッ

気《き》に入《い》らねぇな
怖《こわ》いものは何《なに》も無《ね》えってその態度《たいど》
本気《ほんき》でバラすぞ
めきっ
ああ？
落《お》ち着《つ》け
やっとみつけた手《て》がかりだぞ
ズン
…………
怖《こわ》いものひとつあるよ
ズズン…
？
……何《なに》？
ズ・ズン

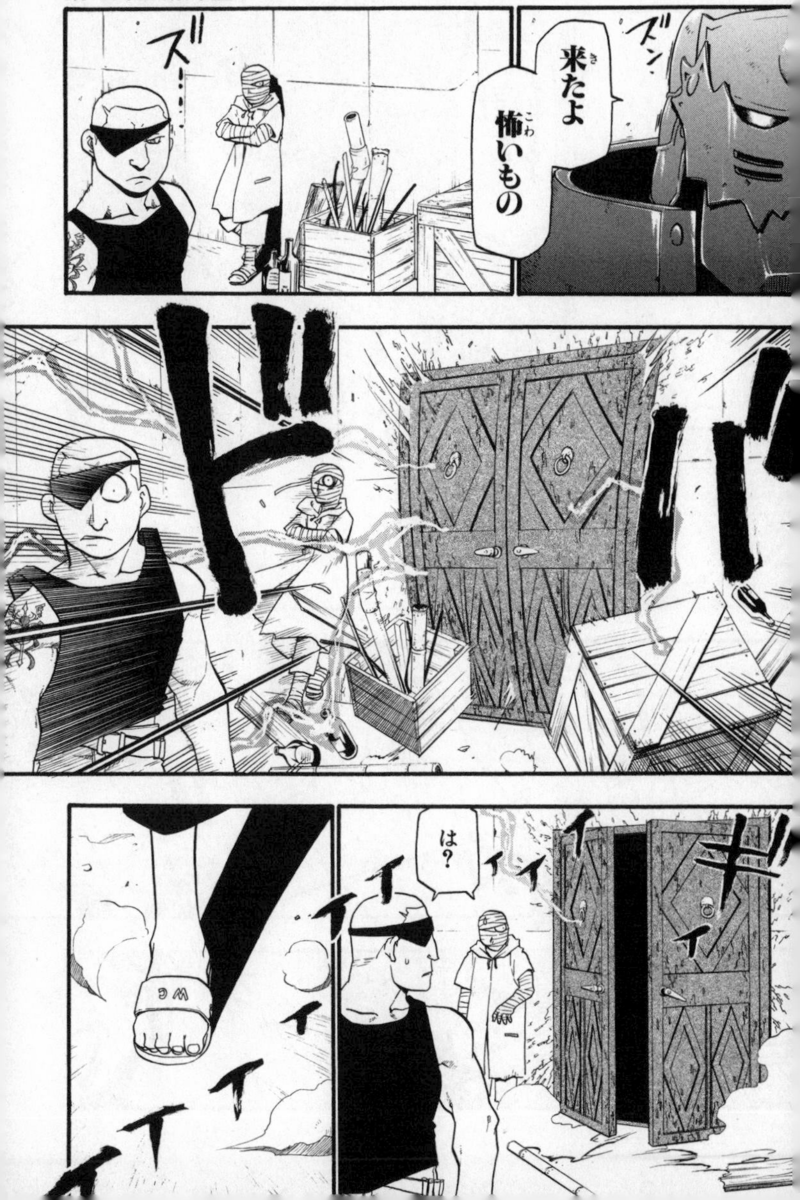
ズン
来《き》たよ
怖《こわ》いもの
ズ…
ドバ
は?
ギイイイイイイイイイ

ズゥヴゥヴン
はい
ちょっと
失礼《しつれい》するよ
ズカ
カズカズ
ズル
ズル
ズル
ズカ
ズカッ
おっ……
おい
なんだ
てめ……

ばくぁ
あっ
!!
こンのばかたれが!!!
ばかん
なに人《ひと》さらいにあっとんだ!!
ヒイイイイイイイ
ごごごごごめんなさいいいい
ぐわんぐわん
コラァ!!俺達《おれたち》を無視《むし》してんじゃねえ!!
てめー何者《なにもの》だ!!

主婦《しゅふ》だッ!!!!!

錬金術《れんきんじゅつ》の本《ほん》に
人造人間《ホムンクルス》って
いうのがあるんだ
でも
人間《にんげん》を作《つく》るのは
やっちゃいけない
事《こと》だって
書《か》いてあったよ
ありえない!
人造人間《ホムンクルス》が
成功《せいこう》したなんて話《はなし》
聞《き》いた事《こと》が無《な》い!!
「ありえない」
なんて事《こと》は
ありえない
今《いま》 おまえの
目《め》の前《まえ》に
いるのが
それだ

第《だい》28話《わ》
匹《ひっ》夫《ぶ》の勇《ゆう》

ドド
ド
ドド
ドド
ドド
ド
ドド
ドドド
WC
ドド
WC

おいおい
おいおい
おねえさん
いきなり
そりゃ
無《な》いでしょ
あんたが
責任者《せきにんしゃ》?
うちの者《もの》が
世話《せわ》に
なったわね
連《つ》れて帰《かえ》らせて
もらうわ
それは
できねえ
相談《そうだん》だ
あっそう

………
ほんとに何《なに》もかもいきなりだな
指《ゆび》
みき
みき
イっちまったんじゃねぇの？
みき
……!!

師匠《せんせい》!!
カンベン
してくれよ
めきっ
女《おんな》と戦《たたか》う
趣味《しゅみ》は無《ね》ぇ
………えらく
変《か》わった体《からだ》
してんのね
まぁな
ちょっとや
そっとじゃ
傷《きず》ひとつ
付《つ》けられねぇぞ
……あ
兄《にい》さん…
兄《にい》さんは
来《き》てないんですか!?
?
まだ帰《かえ》って
来《き》てないけど…

あれ？兄貴《あにき》は死《し》んだって…
一言《ひとこと》も言《い》ってないよ
師匠《せんせい》!!
この人《ひと》人造人間《ホムンクルス》なんです!!
おまっ…
いきなりバラすなよ
なっ…何《なに》を言《い》い出《だ》す…
だから!!
ボク達《たち》が元《もと》の身体《からだ》に戻《もど》るヒントを持《も》ってるんですよ!!
兄《にい》さんに知《し》らせないと!!
なんだよ おまえ肉体《にくたい》を取《と》り戻《もど》したいのか？
その身体《からだ》便利《べんり》でいいじゃん
いくない!!
……本当《ほんとう》に人造人間《ホムンクルス》？
ああ そいつボコって秘密《ひみつ》を吐《は》かせりゃいいのね
そうだけど……
うわー!! 師匠《せんせい》ケガひどいよ!! 無理《むり》!! 無理《むり》!!
そーだよ 俺《おれ》 女《おんな》いたぶるのいやだし
だら
だら
だら

俺《おれ》はこいつの魂《なまい》の錬成《れんせい》とやらを知《し》りたいだけだ
そんなもん知《し》ってどーすんのよ!
もう面倒《めんどう》くせぇやグリードさん
この女《あんな》斬《き》っちまいましょ……
ドルチェット──!!
ああもうゴチャゴチャと!!
がきっ
つまりこうだ!!
その頃のシグさん
あら──いい男──
つかまっちゃった…
遊んでって──
飲んでって──
俺《おれ》はこいつらに人造人間《ホムンクルス》の製造方法《せいぞうほうほう》を教《おし》える
こいつの兄貴《あにき》は俺《おれ》に魂《なまい》の錬成方法《れんせいほうほう》を教《おし》える…
どうだ!!
取《と》り引《ひ》きか……!

等価交換《とうかこうかん》だろ?
穏便《おんびん》にやろうや
誘拐犯《ゆうかいはん》の言《い》う事《こと》きけって?
ふざけんじゃ……
師匠《せんせい》!!
お願《ねが》いです!! 兄《にい》さんを連《つ》れて来《き》てください!!
お願《ねが》いします
やっと巡《めぐ》って来《き》たチャンスなんです
あんたグリードって言《い》ったっけ?
私《わたし》ら錬金術師《れんきんじゅつし》ってのは作《つく》り出《だ》す側《がわ》の人間《にんげん》だから
こういうのは好《この》まないんだけど

私《わたし》の身内《みうち》の者《もん》にもしもの事《こと》があったら
その時《とき》は遠慮《えんりょ》無《な》くぶっ壊《こわ》す
帰《かえ》る
あっ…ちょっとあんたその女《おんな》なによ!!
誤解《ごかい》だ!!
ま…待《ま》て話《はな》せばわかる!!
ギャーわー
……
すげーなぁおまえの師匠《せんせい》とやら
……どうも

ダブリスー―
ダブリスー―
ふ――
あっちい あっちい
でも 思《おも》ったより 早《はや》く 査定《さてい》終《お》わって 助《たす》かったな…
ごそ
…今年《ことし》こそ 元《もと》の身体《からだ》に 戻《もど》れるといいなぁ…
おお 美《うつく》しきかな ダブリス!

わっはっはっはっは
なかなか良《よ》い街《まち》ではないか鋼《はがね》の錬金術師《れんきんじゅつし》君《くん》!!
なっ
なっ……
何《なに》……
うん?
何《なに》って…君《きみ》の師匠《ししょう》とやらに会《あ》いに来《き》たのだよ
これお土産《みやげ》
スイカは嫌《きら》いかね?
あ
ども
じゃなくて!!
一緒《いっしょ》の汽車《きしゃ》かよ!!
ふっふー
子供一人《こどもひとり》の後《あと》をつけるなど朝飯前《あさめしまえ》!

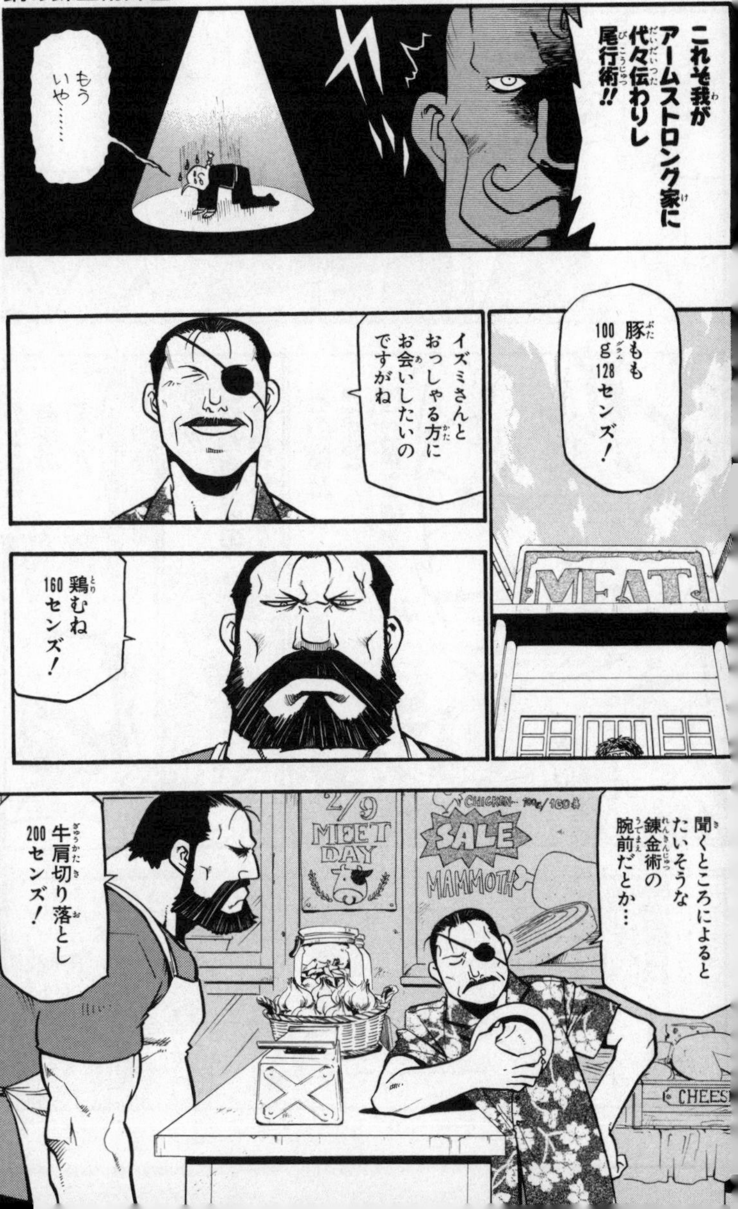
これぞ我《わ》がアームストロング家《け》に代々伝《だいだいつた》わりし尾行術《びこうじゅつ》!!
もういや……
豚《ぶた》もも100g《グラム》128センズ!
MEAT
イズミさんとおっしゃる方《かた》にお会《あ》いしたいのですがね
鶏《とり》むね160センズ!
聞《き》くところによるとたいそうな錬金術《れんきんじゅつ》の腕前《うでまえ》だとか…
CHICKEN
SALE
MAMMOTH
2/9 MEET DAY
CHEES
牛肩《ぎゅうかた》切《き》り落《お》とし200センズ!

どうですか国家資格《こっかしかく》を取《と》ってみませんか
牛豚合《ぎゅうぶたあい》びき98センズ!!
ふー…話《はなし》になりませんな
閣下《かっか》!ここは我輩《わがはい》におまかせを!
ガンコな肉屋《にくや》の主《あるじ》よ!!
見《み》よ!!国家錬金術師《こっかれんきんじゅつし》のすばらしさ!!
ばっ
その瞳《ひとみ》にとくと刻《きざ》むがよい!!!
……
MENU
BEEF
PORK
CHICKEN
LAMB
SALE
2/9 MEET DAY
CHEESE

す――……
ぼばん
ぬうッ!!!
ゴゴゴゴゴゴゴ
ゴゴ
ゴゴゴ

がっし!!
おお! 筋肉《きんにく》で 生《う》まれる友情《ゆうじょう》!
はぁ!? アルが!?
誘拐《ゆうかい》って どういう……
ええーっ!?
ちょーっと ややこしい事《こと》に なってねぇ
何《なに》が目的《もくてき》で!? 身代金《みのしろきん》!?
いや アルの 魂《たましい》の情報《じょうほう》を よこせと…
要《よう》するに エドを 連《つ》れて来《こ》いって 事《こと》だよ
どこの どいつだよ そんなもん 知《し》りたがるのは 〜〜〜

手《て》の甲《こう》にウロボロスの入《い》れ墨《ずみ》をしたグリードという男《おとこ》だ
REDEMPTOR ETMEDI ATOR
信《しん》じられないかもしれないけど人造人間《ホムンクルス》ってやつらしい
………うそでしょう?
いやあきらかに普通《ふつう》の人間《にんげん》とはちがった

師匠《せんせい》…そいつにやられたんですか？
ああこれ？
たいした事《こと》無《な》いよ
予想外《よそうがい》の敵《てき》だったんで油断《ゆだん》しただけ
師匠《せんせい》オレそいつの所《とこ》に行《い》って来《き》ます
一人《ひとり》でか!?
自分達《じぶんたち》の問題《もんだい》だから
オレ一人《ひとり》で
ばかたれ!!あんな危《あぶ》ない奴《やつ》らの所《とこ》に一人《ひとり》で行《い》かせられるか!!
大丈夫《だいじょうぶ》ですよ!!ほら!あっちはオレ達《たち》の情報《じょうほう》を欲《ほ》しがってるだけだから!!

殺《ころ》されるような事《こと》は無《な》いだろうし!
へらっ
ね!
心配《しんぱい》しないで
大丈夫《だいじょうぶ》!大丈夫《だいじょうぶ》ですよ
……
あーはいはい 勝手《かって》に行《い》きなさい!
……晩《ばん》ごはんまでには帰《かえ》って来《き》なさいよ
…あ
はいっ!
……

ぱたん
デビルズネスト…
…今日《きょう》の晩《ばん》めし何《なに》かな
ふー
ぐしゃ

ズン
あらー
かわいい坊《ぼう》や
遊《あそ》んでかなーい？
ダメだぞボウズ！
昼間《ひるま》から
こんな所《ところ》に…
はっはっ
がっはっ
ズンズンズンズン
ズン
ひっ
来《き》ちゃ…
ズンズンズンズン

あんたが グリード？
そういう おまえさんは エドワード・エルリック って奴《やつ》か？
すまねぇな
こっちの 鎧《よろい》クンだけで 事《こと》が済《す》めば 楽《らく》だったん だけどよ
兄《にい》さん ごめん…
でも この人《ひと》…
ああ 人造人間《ホムンクルス》だって？
おどろいたな
マジかよ？

俺《おれ》はウソをつかねぇのを信条《しんじょう》にしてる
なんなら証拠《しょうこ》を…
いややっぱやめとこう
汚くなるし
兄《にい》さん
ボクの魂《たましい》の錬成方法《れんせいほうほう》と人造人間《ホムンクルス》の情報《じょうほう》と…
等価交換《とうかこうかん》?
そう!
おまえらも人造人間《ホムンクルス》に興味《きょうみ》があるって言《い》うじゃねえか
いい取《と》り引《ひ》きだろう?

ナマ言《い》ってんじゃねエ——ッ!!!!!
バカ野郎《やろう》がだいたいなんだあァ!?
にっ…兄《にい》…さん?
ビリビリ
この状況《じょうきょう》わかってんのかコラ!! てめえらウロボロス組《ぐみ》が何《なに》考《かんが》えてるか知《し》ったこっちゃねえけどな!!

ひとの弟《おとうと》
さらっといて!!
師匠《せんせい》にケガ
させて!!
どのツラ
下《さ》げて
等価交換《とうかこうかん》
だァ!!?
現時点《げんじてん》をもって
てめえらは
オレの中《なか》で
大悪党《だいあくとう》に大決定《だいけってい》!!
魂《たましい》の情報《じょうほう》!?
ンなもん
ミジンコ一匹分《いっぴきぶん》も
くれてやる
いわれは無《ね》ェ!!
ビリ
ビリ
ビリ
悪党《あくとう》は
ボコる!!
どつく!!
吐《は》かせる!!
もぎ取《と》る!!
すなわち
オレの
総取《そうど》り!!!

悪《あく》党《とう》とは等《とう》価《か》交《こう》換《かん》の必《ひっ》要《よう》無《な》し!!!!!
ぱち
ぱち
ぱち

……こいつバカだわ
また力《ちから》ずくかよ
殺《ころ》すなよ
へいへい
ザ!

でも骨《ほね》の一本《いっぽん》や二本《にほん》はご愛嬌《あいきょう》です……
ぜ!!
!!
遅《おせ》えな
どっかの死刑囚《しけいしゅう》よりぜんぜん遅《おせ》え

次《つぎ》！

ロア
はっ
鎧《よろい》クン
連《つ》れてけ
バラして
解析《かいせき》する
はっ
なっ…
ドルチェットも
連《つ》れてって
手《て》当《あ》てしてやれよ
わあっ
ガギッ
ちょっとロア！
もう少《すこ》し
丁寧《ていねい》に
あつかってよ
む…
すまん
マーテル
させるか!!

ガキィン
ききわけの無《ね》え
ガキには
仕《し》置《お》きが
必要《ひつよう》だよな?
パキ
にっ!!
メキ

ちっ…
パン

ダ
ダン!!
ズッ
無駄《むだ》無駄《むだ》あ!!
その鋼《はがね》の剣《けん》じゃ傷《きず》ひとつつけられねぇよ!!
ドドドド

バリガッ
ハッハア!!
ピタ.
!!
おっ!?
む……

ゴパッ
脳天《のうてん》ガラ空《あ》き！
おわ!!

っ……
おー痛《いて》え…
普通《ふつう》の人間《にんげん》だったら
病院送《びょういんおく》りだぞ
パキ
ぜんぜん
普通《ふつう》じゃ
ないのな
ごき
ごき
いやぁ
体《からだ》の構造《こうぞう》や
構成物質《こうせいぶっしつ》は
普通《ふつう》なんだけどな
ちょいと
再生能力《さいせいのうりょく》が
過《す》ぎるのと
「最強《さいきょう》の盾《たて》」が
あるだけだ
まさか
不死身《ふじみ》…とか
ファンタジーな事《こと》
言《い》わないよな?
おお!!
なれたら
いいねぇ
不死身《ふじみ》!!

わかったろ?おまえは俺《おれ》に勝《か》てねぇ
この盾《たて》に傷《きず》ひとつつける事《こと》もできねぇ
取《と》り引《ひ》きした方《ほう》が利口《りこう》だぜ
……………
おまえあれだな
自分《じぶん》が傷《きず》だらけになるのは平気《へいき》だが……
身内《みうち》がちょっとでも傷付《きずつ》くのには耐《た》えられなくて冷静《れいせい》さを失《うしな》う!

愚《おろ》かだな
そうやって激情《げきじょう》にまかせて貴重《きちょう》な情報《じょうほう》も弟《おとうと》も失《うしな》うか？
てめえを倒《たお》したら弟《おとうと》も取《と》り戻《もど》しに行《い》くさ
無限《むげん》の再生能力《さいせいのうりょく》じゃないんだろ？
生身《なまみ》の部分《ぶぶん》をボコリ続《つづ》けりゃ…
がっはっはっはっはっ!!
悪《わる》かったなぁ手抜《てぬ》きしちまって
ぞ
ぞ
ぞ
ぞ
ぞ
ちょっとブ男《おとこ》になるんであんま見《み》せたくねぇんだよこれ
ぞ
ぞ
ぞ
ぞ
ぞ

ぞ
言《い》っただろ?
ぞ
おまえは俺《おれ》に傷《きず》ひとつつける事《こと》ができねえ

ズズン…
大丈夫《だいじょうぶ》か ドルチェット
う…
おろせー!!
うー いでで……
あの 野郎《やろう》～～……
なんか俺《おれ》 最近《さいきん》 負《ま》けっぱなし
耐《た》えろ
ポン
!
くんっ
? どうした
すん すん
……っ!!
嫌《いや》な 匂《にお》いがするぜ

だが
懐《なつ》かしい……
これは……
来《く》るぞ!!
ザ
ザ
裏口《うらぐち》
突入準備完了《とつにゅうじゅんびかんりょう》
ザ
ザ
ザ
ザ
路地《ろじ》
封鎖完了《ふうさかんりょう》
くり返《かえ》す
大《おお》きな鎧《よろい》と
三《み》つ編《あ》みの少年《しょうねん》は
保護《ほご》
手《て》の甲《こう》に
ウロボロスの
入《い》れ墨《ずみ》を
持《も》つ者《もの》は
捕捉《ほそく》

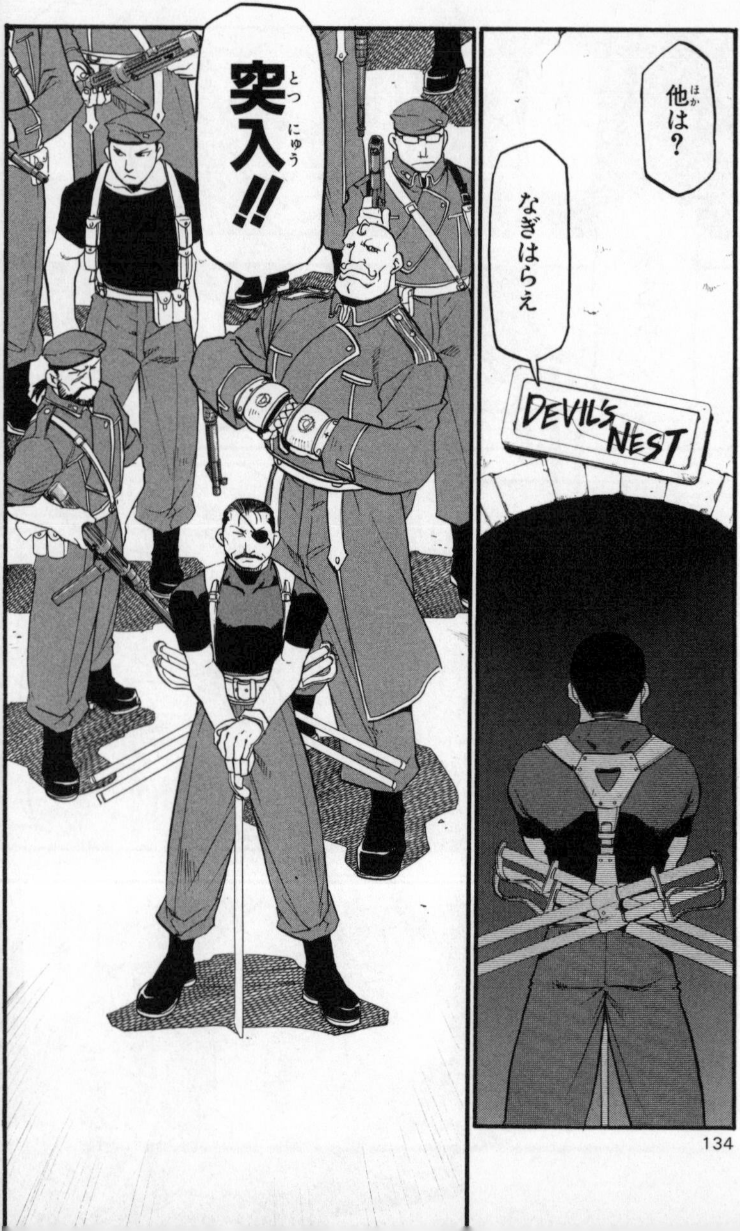
他《ほか》は？
なぎはらえ
DEVIL'S NEST
突《とつ》入《にゅう》!!

第《だい》29話《わ》
王《おう》の眼《め》

ドカドカ
ドン
ドド
ドカ
ドカ
ドカ
ドカ
くそったれが……
ドン
ドパン
実験所《じっけんじょ》には戻《もど》らねぇぞ
地下一階《ちかいっかい》制圧完了《せいあつかんりょう》
パ
地下二階《ちかにかい》

ビュ
ババッ
ぐおっ
やっぱ俺《おれ》
強《つよ》いよなぁ?
なぁ!?
前《まえ》!前《まえ》!
げっ
ガシャ
ガシャ

！
油断《ゆだん》するな
おお
すまんな
一階《いっかい》は
制圧《せいあつ》された
裏口《うらぐち》も
もうダメだ
ガシャ
グリードさんは？
あの人《ひと》なら
心配《しんぱい》無《な》いだろう

グリードさんが来《く》るまでこの階《かい》を死守《ししゅ》する
へいへい死《し》なん程度《ていど》にがんばりますよ
死《し》んだか？

ぺっ
は。
はっはっ

よし
いいぞ
子供《こども》は元気《げんき》で
なくちゃな
何度《なんど》やっても
おまえは
俺《おれ》に勝《か》てねえよ

……!!
さあて
ガラ
魂《たましい》の秘密《ひみつ》を吐《は》いてもらおうか
……
あ?

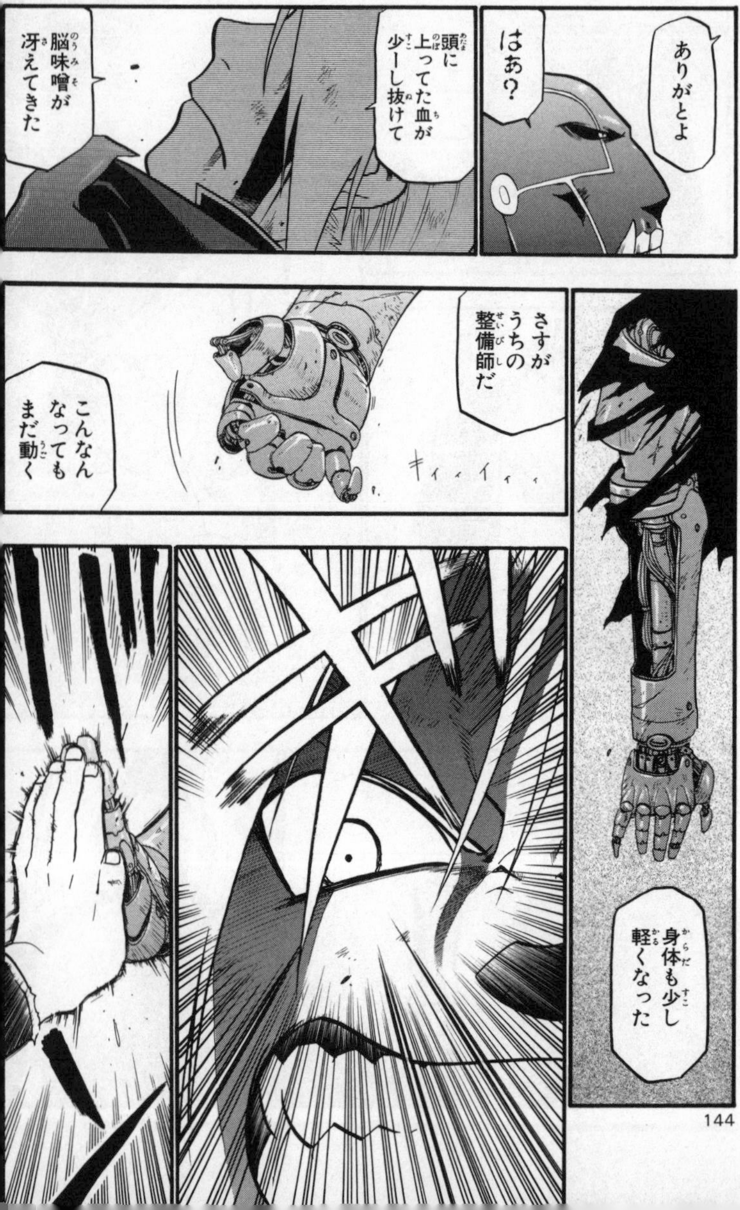

ありがとよ
はあ？
頭《あたま》に上《のぼ》ってた血《ち》が少《すこ》ーし抜《ぬ》けて
脳味噌《のうみそ》が冴《さ》えてきた
身体《からだ》も少《すこ》し軽《かる》くなった
さすがうちの整備師《せいびし》だ
こんなんなってもまだ動《うご》く
キィィイィィ

うお!?
ドオッ
……っ!?
まだ抵抗《ていこう》するかよ
ちっ
あーもう
これで…
大人《おとな》しく寝《ね》てろ!!

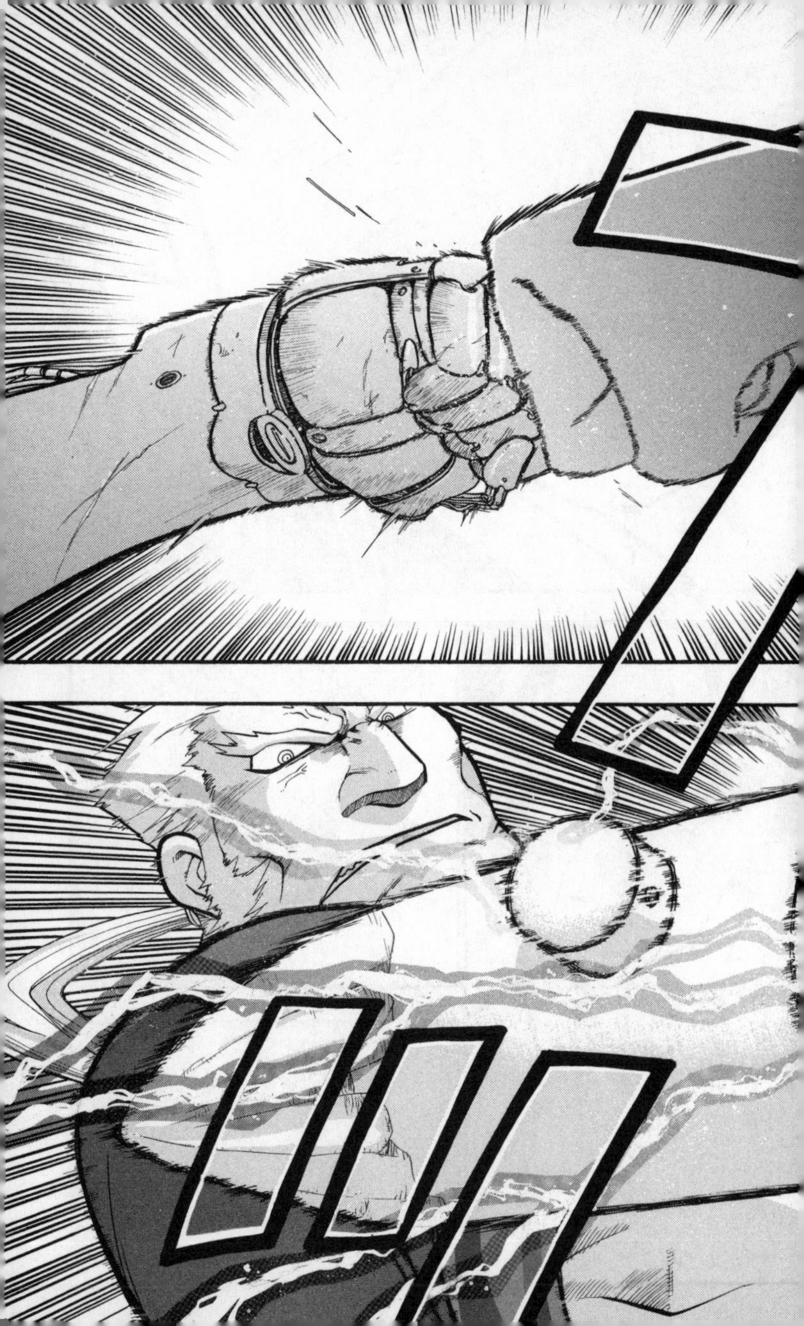

ビリ
ビリッ
むう!!
見《み》たか!!
これぞ我《わ》がアームストロング家《け》に代々伝《だいだいつた》わりし以下略《いかりやく》!!!

ドオオオオオオオン
…あ——
うむ
これは一筋縄《ひとすじなわ》ではいかんようだ
ゴトッ
本気《ほんき》でやらせてもらう
めきっ

めき
めきめき
めき
めきめき
めき
ブチブチッ
ゴキオオオオ
オ
…なんと面妖《めんよう》な…
メキメキ
キメキ

ドン
む!!
ゴガンガン
ブン
ぱん
ふんッ!!
ガッ

がばあ
む…
ぬおっ!!?
ぐんっ

おおおおおおお
ゴリゴリゴリ
おおおおおおおおおおお
ガ
ガガ

ズ
ドド

ドオッ
ふふ……
久《ひさ》しぶりに血《ち》湧《わ》き肉躍《にくおど》る…‼
さすがアームストロング殿《どの》
昔《むかし》と変《か》わらぬ豪腕《ごうわん》よ
俺《おれ》も…
イシュヴァールの殲滅戦《せんめつせん》に一兵卒《いっぺいそつ》として参加《さんか》していた
む……
元《もと》同志《どうし》か…

ならば なおさら!
我輩《わがはい》 無駄《むだ》な殺生《せっしょう》は 好《この》まぬ 投降《とうこう》せよ!
無理《むり》な 注文《ちゅうもん》だ!
ガシャ
少佐《しょうさ》! そこを 退《ど》いてください!!
ガシャ
少佐《しょうさ》!!
おろかな! 命《いのち》を無駄《むだ》に するな!!
キング・ブラッドレイ 大総統《だいそうとう》が 来《き》ておるのだぞ
!!
ブラッドレイ!?
なんでそんな 偉《えら》い奴《やつ》が 来《き》てんだよ!!

それが何《なに》を意味《いみ》しているかわかるであろう
イシュヴァール殲滅《せんめつ》を指示《しじ》した奴《やつ》だ
ここを徹底的《てっていてき》に潰《つぶ》すつもりか
じゃあ店《みせ》の奴《やつ》らもう……
ロア！ヤバい相手《あいて》だ！
む……
ドスッ
逃《に》げるぞ
ぼそっ
隠《かく》し通路《つうろ》へ走《はし》れ
お…おう…

何《なに》をしている
アームストロング
少佐《しょうさ》
おっ…
こ…の
な
ドルチェット!!

うおおおおおおおおお
ドドドド
ドッ
お
ブラッドレイイイイイイ

ビッ
私《わたし》は目標《もくひょう》以外《いがい》は全《すべ》てなぎはらえと命令《めいれい》したはずだ

敵《てき》に
情《なさ》けを
かけるな
だから
おまえは
出世《しゅっせ》できんのだ
タタン
ドーン
ドーンッ
ぎし
ぎし
ぎィ

バシッ
ぬっ…
ビッ

……
ぞぞぞぞ
ザ
ゴッ
パキン
俺《おれ》硬《かて》えよな
おかしいな
ゴゴゴ
ちょい ちょい

うらぁ!!
え
ビュッ
これがどうした!!
ドドドッ

ワンパターンだな!!
こんなもん効《き》か……
んなあ!!?
がふッ!!!
ドム
オッ

ぶは…
俺《おれ》の盾《たて》に何《なに》をしやがった…!!
考《かんが》えてみりゃ簡単《かんたん》な事《こと》だ 無《む》から有《ゆう》は作《つく》り出《だ》せない
すなわちその「盾《たて》」とやらもどっかからひねり出《だ》してるってこった
人造人間《ホムンクルス》っつっても身体《からだ》の構成物質《こうせいぶっしつ》はオレ達《たち》と同《おな》じだって言《い》うじゃねーか
人体《じんたい》の構成物質《こうせいぶっしつ》で高硬度《こうこうど》耐摩耗性質《たいまもうせいしつ》に変化《へんか》しうる物質《ぶっしつ》……
それは人体《じんたい》の三分《さんぶん》の一《いち》を占《し》める
炭素《たんそ》!

炭素原子《たんそげんし》は 結合《けつごう》の 度合《どあ》いによって 硬度《こうど》が 変化《へんか》する
ぬ……
それこそ 鉛筆《えんぴつ》の芯《しん》から ダイヤモンド 並《なみ》にまでな
仕組《しく》みが わかりゃ あとは 錬金術師《オレ》の 分野《ぶんや》だ
ハッハア!!
いいぞ!! こうでなくっちゃ 面白《おもしろ》くねえ!!
そして!!
ピタ

今《いま》わかった事《こと》がひとつ!!
硬化《こうか》と再生《さいせい》を一度《いちど》にする事《こと》はできない！
ボロボロッ

がっはっはァ!!
ただの猪突猛進《ちょとつもうしん》なバカガキかと思《おも》ったらいやはや
おまえ気《き》に入《い》ったぜ!
だが戦《たたか》うにゃちと相性《あいしょう》が悪《わる》いな
逃《に》げさせてもらう
にっ
な
少年発見《しょうねんはっけん》!!
…な?

トトトトト
わあっ
ドンドンドン
ギン
ガン
ハッハア!!
じゃあなガキ!!
あっ…待《ま》て!!
少年《しょうねん》は保護《ほご》した!
君大丈夫か!?
奴《やつ》を追《お》え!!
はなせ!!
こら!!
君《きみ》を助《たす》けに来《き》たんだぞ!!
暴《あば》れちゃいかん!!
あいつには訊《き》かなきゃならない事《こと》があるんだよ!!

はなせーー!!
ギィ
排気口だ
くまなく捜せ
ぬぐぐぐぐぐぐぐ
ぎ
ぎ
ぎ
ぎ
逃《に》げようったって
そうは……
ぎ
ぎ
ぎ
大人《おとな》しく
してなさい
いいい〜〜〜
い・や・だ
〜〜〜〜〜っ
ずり
ずり
ずり
カッ
カッ
カッ

グリードさん！
カツ
カツ
コツ
マーテル…と鎧《よろい》クンも無事《ぶじ》か
上《うえ》がさわがしい事《こと》になって来《き》て…ロアは私達《わたしたち》をここに置《お》いて戻《もど》りました
それは困《こま》る
ああ ちょいと面倒《めんどう》な事《こと》になった
逃《に》げる算段《さんだん》しとけ
……誰《だれ》だ？
大総統《だいそうとう》…なんでここに!?
キング・ブラッドレイ!?
へぇ……
この国《くに》で一番《いちばん》エラい方《かた》がこんな所《ところ》になんの用《よう》で？

君《きみ》
年《とし》はいくつだね
は？
私《わたし》は今年《ことし》60になる
年《とし》をとると体《からだ》が思《おも》うように動《うご》かなくなるな
こんな仕事《しごと》さっさと終《お》わらせて帰《かえ》りたいのだよ
ガッ
引退《いんたい》しな おっさん
めきっ

……おっ……
!!
おいおいおい!!
なんつーおっさんだ!!
くおっ!!

ドド
ドド
再生《さいせい》も…

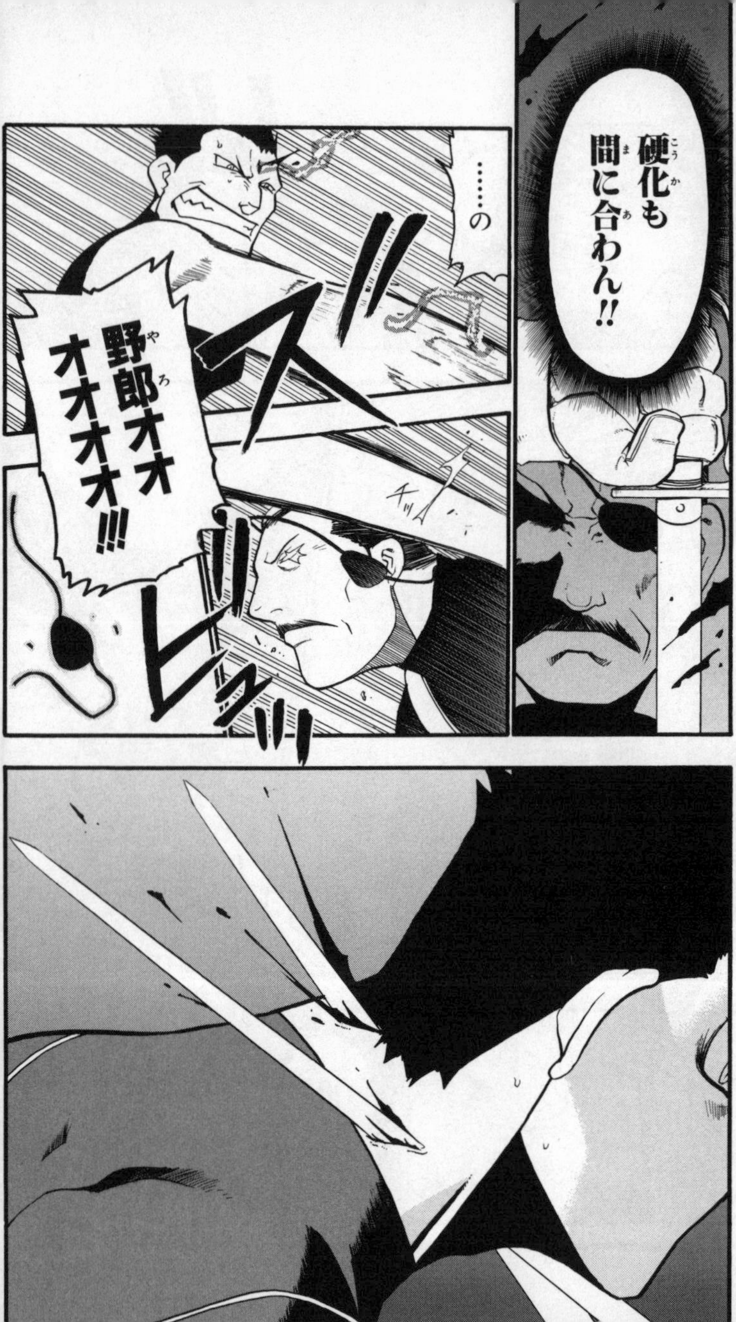
硬化《こうか》も間《ま》に合《あ》わん!!
……の
ズ
野郎《やろ》オオオオオ!!!
チッ
ビュッ

掲載・月刊少年ガンガン平成15年9月号～12月号

私《わたし》はね
君《きみ》のような最強《さいきょう》の盾《たて》を持《も》っている訳《わけ》でも
全《すべ》てを貫《つらぬ》く最強《さいきょう》の矛《ほこ》を持《も》っている訳《わけ》でもない
そんな私《わたし》がどうやって弾丸《だんがん》飛《と》び交《か》う戦場《せんじょう》を生《い》き抜き功績《こうせき》をたて今《いま》の地位《ちい》にいるか……
わかるかね?
お…
ま…え…
ズズズズズ
ズズズ

ズズ
君《きみ》に最強《さいきょう》の盾《たて》があるように
私《わたし》には最強《さいきょう》の眼《め》があるのだよ
さてグリード君《くん》
君《きみ》は何回《なんかい》殺《ころ》せば死《し》ぬのかね？

To be Continued…

ジャン・ハボック少尉《しょうい》で
あります
実《じつ》は最近《さいきん》
中央《セントラル》指令《しれい》部《ぶ》勤務《きんむ》に
なったばかり…
元《もと》が田舎《いなか》の
生《う》まれなので
都会《とかい》のやり方《かた》に
慣《な》れるのには
時間《じかん》が
かかりそうです
……なんで俺《おれ》
こんな所《ところ》に
いるんでしょう
外伝《がいでん》
戦《たたか》う少尉《しょうい》さん

なに？恋人《こいびと》にふられたとな？
はぁ……
「あたしと仕事《しごと》とどっちが大切《たいせつ》なのよ」と…
ふーー…なんと情《なさ》け無《な》い！
まったく！男《おとこ》なら仕事《しごと》と恋人《こいびと》両方《りょうほう》取《と》ってみせんか！
誰《だれ》のせいだよ!!
アームストロング少佐《しょうさ》！ハボック少尉《しょうい》に中央《セントラル》の美《うつく》しい女性《じょせい》を紹介《しょうかい》してやってくれないか
そうですな……
うむ！いい娘《こ》がいますぞ！
本当《ほんとう》っスか!?
我輩《わがはい》の妹《いもうと》だ!!

我輩《わがはい》にそっくりの器量良《きりょうよ》しだぞ！
ぶわっ
ルイ子
アレックス
ヒゲ？
いい年頃《としごろ》なのだが内気《うちき》なためボーイフレンドもできんでな
待《ま》たんかハボック
大佐《たいさ》!! 俺《おれ》は今《いま》!! 俺《おれ》の想像力《そうぞうりょく》を!! 呪《のろ》う!!!
おちつけ
アームストロング家《け》は代々《だいだい》高官《こうかん》を輩出《はいしゅつ》してきた名門中《めいもんちゅう》の名門《めいもん》だぞ！
親《した》しくしておいて損《そん》は無《な》い！

うだつの上《あ》がらない田舎出身《いなかしゅっしん》のおまえにめぐって来《き》た人生最大《じんせいさいだい》のチャンスだぞ!!
逆玉《ぎゃくたま》の輿《こし》!! 出世街道《しゅっせかいどう》まっしぐら!!
ひそ ひそ ひそ
ううっ!!
て言《い》うか上司命令《じょうしめいれい》だ! 見合《みあ》いしろ!
ははははは
あんた楽《たの》しんでるだろ
そもそもわがアームストロング家《け》は!!
アームストロング家《け》当主《とうしゅ》
フィリップ・ガルガントス・アームストロング
べら べら べら べら べら べら べら べら
180年の長きにわたりうんめんかんめん
代々将軍職をうんめんかんめん
かくいうわしもうんめん
すまんの 姉上方《あねうえがた》は皆《みんな》出払《ではら》っておって話《はな》し相手《あいて》が父上《ちちうえ》しかおらぬ
……
あら あなた また お客様《きゃくさま》に長《なが》ったらしい自慢話《じまんばなし》ですか
おお母上《ははうえ》!
カツカツカツカツ
母上《ははうえ》…? よかった母方《ははがた》は普通《ふつう》…

ズ〃ゥウウウウウン
ふつ…う…
CURL
TALL
=
ほほほほほほほ
つかまえてごらんなさ〜い
でか──っ!!
ほらキャスリン はずかしがってないで お入《はい》りなさい
びくっ
は…はい…
どっちだ!?
か!?
か!?
せめて
で
あってくれ…!!
くねっ
もじ…
はじ…めまして
キャスリン・エル・アームストロングです
どぴゃ〜

突然《とつぜん》変異《へんい》
万歳《ばんざい》!!!
どうだ 美《うつく》しかろう? 我輩《わがはい》そっくりで!
どこが!?
下《した》まつげとか!
さいですか…
ほら はずかしがって いないで 少尉《しょうい》と話《はなし》を しなさい
はっ… はい
いい…♥
ぽゃ
ん
えーと キャスリンさん
…
ご趣味《しゅみ》は?

えっと…
ピアノを少々《しょうしょう》…
かんわい——♡
絶対《ぜったい》この子《こ》少佐《しょうさ》の妹《いもうと》じゃねぇよ〜〜♡
ピアノを少々《しょうしょう》持《も》ち上《あ》げたり
前言撤回《ぜんげんてっかい》!!
100%《パーセント》少佐《しょうさ》の妹《いもうと》!!
いやしかし怪力《かいりき》を除《のぞ》けば容姿《ようし》・スタイル・資産《しさん》・権力《けんりょく》オールオッケー!!
春《はる》!? 春《はる》ですか!? 俺《おれ》の人生春《じんせいはる》!?
きりりん
キャスリンさん
もしよろしければこれを機《き》にお付《つ》き合《あ》い下《くだ》さいませんか!
うむ! 彼《かれ》はなかなかの好青年《こうせいねん》のようだし
似合《にあ》いの二人《ふたり》ですわ!
ぼっ
ハ…ハボック…さんっ
はいっ

掲載《けいさい》・月刊少年ガンガン増刊ガンガンパワード平成15年秋季号

鋼の錬金術師7　おわり

鋼の錬金術師 7
すぺしゃるさんくす～

高枝 景水 さん
ひのでや 三吉 つぁん
杜康 潤 さん
弣 正成 さん
馬場 淳史 さん
あいやーぼーる さん

担当 下村 裕一 氏

AND YOU!!

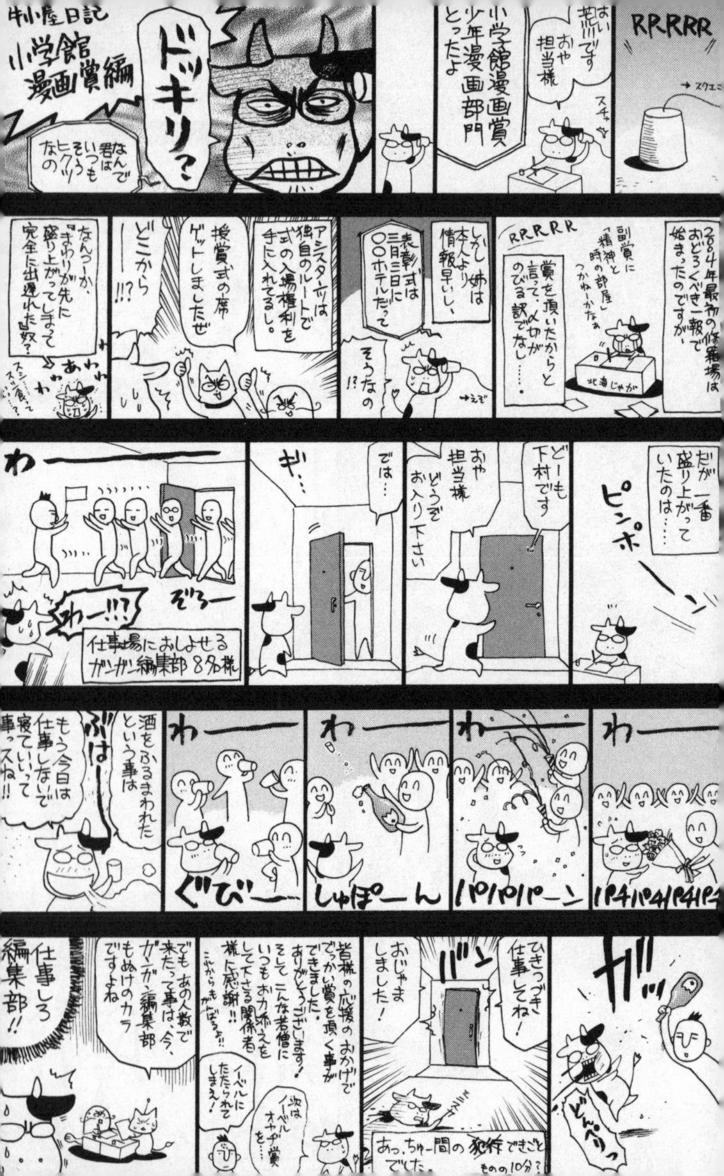
RRRRR
→スクエニ
はい荒川です
おや担当様
スチャ
小学館漫画賞少年漫画部門とったよ
牛小屋日記
小学館漫画賞編
ドッキリ?
なんで君はいつもそうヒクツなの
2004年最初の修羅場はおどろくべき一報で始まったのですが、
副賞に「精神と時の部屋」つかねーかなぁ
北海じゃが
RRRRR
賞を頂いたからとて言って、〆切がのびる訳でなし……
→えぞ
しかし姉は本人より情報早いし、
表彰式は三月三日に○○ホテルだって
そうなの!?
アシスタンツは独自のルートで式の入場権利を手に入れてるし。
授賞式の席ゲットしましたぜ
どこから――!!?
なんつーか、『まわりが先に盛り上がってしまって完全に出遅れた』奴?
あわわわ
だが一番盛り上がっていたのは……
ピンポーン
どーも下村です
おや担当様どうぞお入り下さい
では……
ギ……
わーーー
わー!!?
ぞろー
仕事場におしよせるガンガン編集部8名様
わーー
パチパチパチパチ
わーー
パパパパーン
わーー
しゅぽーん
わーー
ぐびーー
酒をふるまわれたという事は
ぶはーー
もう今日は仕事しないで寝ていいって事っスね!!
ガ!!
どんぺりっ
ひきつづき仕事してね!
おじゃましました!
バン
ズズ…
あっ、ちゅー間の狼藉できごとでした。
ものの10分?
皆様の応援のおかげででっかい賞を頂く事ができました。ありがとうございます!
そしてこんな若僧にいつもお力添えをして下さる関係者様に感謝!!
これからもがんばるよ!!
ノーベルにたたられてしまえ!
次はノーベルオヤヂ賞を……
でもあの人数で来たって事は、今、ガンガン編集部もぬけのカラですよね
仕事しろ編集部!!

ガンガンコミックス

鋼の錬金術師《はがねのれんきんじゅつし》
FULLMETAL ALCHEMIST

鋼の錬金術師 7

2004年4月22日 初版
2005年9月1日 14刷

著　者　　荒川 弘

発行人
田口浩司
発行所
株式会社スクウェア・エニックス

〒151-8544　東京都渋谷区代々木3-22-7　新宿文化クイントビル3階
〈内容についてのお問い合わせ〉 TEL 03(5333)0835
〈販売・営業に関するお問い合わせ〉 TEL 03(5333)0832
FAX 03(5352)6464

印刷所　図書印刷株式会社

ISBN4-7575-1165-5 C9979

いいザマね
「最強《さいきょう》の盾《たて》」
曲《ま》げたモノ達《たち》…
まだ仕事中《しごとちゅう》よ
――あ?
オ オ
オ
どんなもんか
先《さき》に行《い》って
見《み》ててやるぜ
兄弟《きょうだい》!!

それは人《ひと》の理《ことわり》を
痛《いた》みを知《し》らず、死《し》すらも知《し》らず、
ただその目的《もくてき》のためにだけ生《い》きるモノ達《たち》。
ついに、闇《やみ》よりその姿《すがた》を現《あらわ》す…。
鋼《はがね》の錬《れん》金《きん》術《じゅつ》師《し》
HAGANE no RENKINJUTSUSHI no.8
第《だい》8巻《かん》
2004年《ねん》7月《がつ》発《はつ》売《ばい》予《よ》定《てい》!!
乞《こ》うご期《き》待《たい》!!